芙蘭納莉・歐康納
短篇小說選集

Selected Short Stories of Flannery O'Connor

芙蘭納莉・歐康納 著
張家綺 譯

好讀出版

目錄

文本導讀（※推薦讀者也可先讀畢小說，再細細品味此精彩賞析）

歐康諾短篇小說裡的暴力與救贖

文／蔡秀枝
國立臺灣大學外國語文學系教授

故事之光，在彼他鄉

二十世紀美國南方女作家法蘭娜瑞．歐康諾[1]（Flannery O'Connor, 1925-1964）的作品在眾多南方作家中獨出一格，既充滿了南方怪誕敘事（the Southern Gothic）的風格，又彰顯著強烈的宗教寓意。作爲一個虔誠的天主教徒，歐康諾在字裡行間，不論是小說故事或是信件文批，都不斷重申「他鄉」（"the other country"）是她寫作與敘事的最終目標。她將小說家的職責與宗教的救贖融合在她所極欲企及的「他鄉」，因爲這是她的故事人物於在世生活終結後的可能企盼之所，也是她寫作的最高指引。她「可以等待一百年」，以祈盼能理解這些故事的知音讀者的出現。

事實上歐康諾絕對不會被動地靜待這樣的知音讀者出現。一如她小說裡不斷持續探問與挑戰基督所言所行的尖銳乖誕角色，歐康諾絕不放棄任何一個機會，在各種演講、評論、通信與日記中對自己的作品進行解讀與闡釋。現實生活中的歐康諾不只是作者，也是尋找、描述、闡揚與捍衛「文之道」（文學詮釋）與「文中道」（宗教之路）的追尋者與慕義者。在歐康諾的故事裡，故事敍事的世俗意義與精神層面的纏繞，總是伴隨著對終極的宗教義理與對基督所言與行事的探究，以及在故事情節轉折和事件衝突發生之後，對基督恩典和救贖的可能性的質問與較眞。如何將道成肉身的概念注入故事敍事之中，不僅挑戰歐康諾的想像力，也試探讀者對這些故事中預設的人物、情節、事件與最終意義與象徵指涉的接受度。

1本人在研究 Flannery O'Connor 的論文裡，將其姓名譯爲法蘭娜瑞・歐康諾。爲了研究著作的譯名統一，所以此處導讀仍然沿用研究著作裡的譯名，不隨本書對 Flannery O'Connor 的譯名做任何變更。造成讀者閱讀上的不便，謹此致歉。

暴力威脅下的死亡與救贖

歐康諾的故事場景與人物事件大抵是美國南方生活的寫照，而其獨特之處，往往勝在敘事中出奇不意的觀點與對未知暴力的直擊。例如，在〈好人難尋〉裡，愉快出遊的一家六口莫名地在州際公路上遇到逃獄囚犯，因而不分男女老幼全被擊殺；〈森林風光〉裡跋扈的祖父在小孫女的纏踢撕咬下，於羞憤惱怒中將其孫女殺死，然後祖父也因心臟衰竭而亡；而〈綠葉〉、〈凡興者必合〉[2]（本書譯爲〈上升的一切必將匯合〉）與〈審判日〉裡，故事的主人翁也都以死告終。正因爲歐康諾的故事總是在平凡的生活點滴中平靜敘述著突然出現的乖僻又詭異的暴力事件，並且通篇都以冷漠淡然的敘事口吻讓讀者直面種種暴力與死亡，這樣的敘事與書寫風格凸顯了南方怪誕（grotesque）書寫的特質。然而歐康諾雖走筆於鄉間生活卻眞正意指他鄉，所以她的故事裡對於日常現實的描寫總是富含象徵，藉以指涉出另一個不同於故事裡的人生、一個不同於此在的現實狀態（the reality beyond this life and this secular world）。這個充滿宗教意涵的另一個眞實的現實（"the reality"）才是整個故事象徵意涵眞正所欲點出的基督的國度。

歐康諾因為罹患遺傳性紅斑性狼瘡，未滿四十歲時就去世，出版了兩部小說（《智血》〔*Wise Blood*, 1952〕和《勇者得之》〔*The Violent Bear It Away*, 1960〕）與兩本短篇故事集（《好人難尋》〔*A Good Man Is Hard to Find and Other Stories*, 1955〕和《凡興者必合》〔*Everything That Rises Must Converge*, 1965〕）。但是她短暫的一生裡所發表的前後期作品中，依舊存在著對於基督恩典降臨的不同詮釋與相異的處理態度。

〈火車〉是歐康諾在愛荷華大學寫作班結業時的碩士論文《天竺葵》（*The Geranium*, 1946）裡六個短篇故事的最後一篇，並於1948年的*Sewanee Review*文學雜誌出版。〈火車〉是歐康諾早期的作品（後來發展為《智血》小說開頭的一個章節），對比她中後期著作裡較為複雜的故事情節與宗教象徵隱喻，僅是一個輕薄短小的敘事事件，以十九歲的海茲作為搭乘火車臥鋪的主角，完全以外在客觀敘事來看待海茲的想像力：從誤認臥車上黑人服務員為舊識所發展出，一種夾雜在現實與記憶裡互相干擾混淆下的精神與身體狀態。〈好運臨門〉（1949）也是一篇早

2 此處仍然沿用本人對歐康諾此篇小說的翻譯名稱。請參見：蔡秀枝，〈混雜與過渡：歐康諾〈凡興者必合〉中的城市空間〉，收錄於2007年《英美文學評論》10（2007），頁73-134。

期的作品，藉著拒絕承認懷有身孕的女主角露比在攀爬住家陡斜的四段樓梯的吵雜過程，彰顯露比對於懷孕的恐懼與對小孩的厭惡。歐康諾以懷孕母體象徵新南方與舊南方的共生與臍帶關係，同時將新生命降臨的「好運」聯繫到新舊南方角力背後抽象概念間的生死爭奪。〈好人難尋〉（1953）則是歐康諾創作中期相當具代表性的作品。從越獄囚犯（The Misfit）開始質疑基督死而復生，並為世人帶來救贖之可能所開展出來的問難裡，這個倒霉家庭的祖母在自私、驕傲、謊言、欺騙與背叛等不良品性與罪惡下，最終被引發出對越獄者的寬愛接納。這個因為臨難而被迫面對死亡威脅的祖母得以在死亡所展現的暴力恩典中，轉化她自私的親情去無條件接納射殺她所有家人的逃犯，即使越獄者對於隱藏在這行為背後的恩典，無法敞開心胸去接受。死亡是歐康諾迫使小說人物和她的讀者去面對與反省現實中人們可能犯下的罪過的一個極端手法。突發的暴力死亡使人恐懼、顫慄，卻無法逃避，也因此能在恐怖、震撼與無助中向人展現恩典與救贖之光。

黑人，我的另一面

〈審判日〉（1964）是歐康諾臨終進入昏迷前所寫作的最後一篇短篇小說，改寫自她早期論文中的故事〈天竺葵〉。從早期〈天竺葵〉裡老達德利（Old Dudley）先生對黑人堅決的種族歧視，到改寫的〈審判日〉裡譚納（Tanner，編註：本書譯爲透納）試圖與紐約公寓裡的鄰居黑人演員進行交談並盼望能成爲朋友，歐康諾對於美國的黑白種族問題有了更清晰的深思與反省。延續著〈冒牌黑人〉（1955）與〈凡興者必合〉（1961）的故事主題，歐康諾的後期作品，尤其是〈審判日〉，將南方社會因爲蓄奴傳統而根深蒂固的對於黑人族群的歧視與仇恨，當作爲生死現實與暴力恩典的切入口，和此鄉（此世）與他鄉（主的殿堂）的聯繫介面。

藉此歐康諾直接將黑人比喻爲白人的另一面：黑暗的、被隱藏的、不被認可的一面。這個不被承認的身份並不是因爲它是卑微的、低下的、可鄙的、罪惡的，而是因爲蓄奴傳統加諸於黑人身上的扭曲刻板印象與種族歧視。所以〈冒牌黑人〉裡的祖父海德（Mr. Head）先生選擇用崇高的口吻來解釋路邊花壇裡的黑人雕像：「這裡的黑人太少，所以他們要放個冒牌的。」海德先生必須要再次鞏固他在孫兒面前的睿智與道德形象，雖然他早已因爲迷路而喪失自信，又因爲在大街上不承認小男孩是他的孫子而背棄了祖孫血緣。但是歐康諾讓這個小黑人雕像成爲老人與小孩間重續親情的橋樑，也同時將黑人雕像作爲顯露基督恩典的象徵，亦是老人的背叛與自大的一面照妖鏡。在〈凡興者必合〉裡，歐康諾更是讓朱利安的母親與〈公車上的黑人母親戴著同樣的帽子，並且在認知上兩位母親也有著同樣地源自蓄奴傳統（而非個人生命經驗）裡對於不同種族的不信任、懷疑、歧視與仇忿。然而故事結尾朱利安母親的死亡並非全然是對朱利安的懲罰。從歐康諾的宗教觀點來看，暴力死亡不是仇恨的勝利，亦非一切可能的終點，而是重新打開母子間親情與愛的可能契機，它讓朱利安不再囿限於自己的幻想中，而是有機會重新用愛的眼光來看待母親和這個解除隔離後的南方社會。

〈審判日〉裡歐康諾則是讓老人的死亡成爲象徵邁向主的殿堂的契機。他在企圖與黑人演員交友時，不幸遭受殘忍的一擊：「你不是黑人！我也不是白人！」老人在紐約公寓學到的第一課是黑人演員清楚地說明膚色不應該是差異的符號標誌，也不是種族與身分辨認的規約。但是這個重要訊息被忽略了。當老人再次遇到黑人演員，於意識茫然間將他當成牧師。這個錯認導致了他失去最後救援的機會。種族間根深蒂固的誤解、相互的欺壓與仇恨，非一朝一夕得以化解；然而因爲暴力而來的恩典，終於讓歐康諾筆下的老人因爲對審判日的堅信而得以永棲他鄉。

莊稼

威勒頓小姐向來是清理麵包屑的那位。這是她最拿手的家務事，做得得心應手。露西亞和貝莎負責洗碗，加納在客廳玩早報的填字遊戲，獨留威勒頓小姐在餐廳，但她完全不在意。呼！家裡的早餐時間向來都像打仗。露西亞堅持早餐必須與其他用餐時間一樣規律，還說規律的早餐時間是爲了打造規律的生活習慣，由於加納經常鬧胃痛，所以有必要訂立一套用餐制度，這樣她就能盯著他將洋菜粉倒入麥粉粥。威勒頓小姐不禁暗想，最好他改得掉那五十年的老習慣。早餐時刻的拌嘴通常是從加納的麥粉粥開始，最後碎念她那三匙鳳梨果醬，「你明明知道吃酸不好，威莉，」露西亞小姐老是說：「吃酸對你不好。」加納會翻白眼，下一個令人作嘔的評語，貝莎聽到後會直跳腳，露西亞一臉無奈以對，鳳梨果醬則讓威勒頓小姐胃部發酸。

清理餐桌上的麵包屑是一件很療癒的事，它給人足夠的思考時間，若威勒頓小姐想寫故事，就得先構思劇情。通常她會坐在打字機前構思，效果最好，但餐桌也並非不可。首先她得構思故事主角，但主角多到威勒頓小姐難以決定，她總說決定主角是創作裡最艱難的一個環節，構思往往會比真正坐下寫作的時間耗時。有時候主角會一換再換，往往耗上一、兩週才真正決定。威勒頓小姐取出銀製集屑刀和集屑盒[1]，開始刮起餐桌。我在想，她正思忖的是：麵包師傅適合當主角嗎？她覺得異國麵包師傅的形象很鮮明，莫黛爾．菲爾摩阿姨留給她四張彩色照片，都是法國麵包師傅戴著蘑菇帽的模樣。他們個個身材高䠷，一頭金髮，還有著……

「威莉！」露西亞小姐手拿鹽罐，尖著嗓子踏入餐廳。「我拜託你，集屑盒要在集屑刀底下接好，不然會掉得地毯到處都是！我上週已經吸了四次地板，不會再幫你清碎屑了！」

「你吸到的都不是我掉的麵包屑，」威勒頓小姐言簡意賅地說：「我向來都是自己掉的碎屑自己清，」又補了一句：「我很少掉屑。」

「你這次用完集屑刀，記得要洗乾淨再收好。」露西亞小姐回嘴。

威勒頓小姐將碎屑倒在手掌，往窗外一拍，把集屑刀和集屑盒拿進廚房，轉開水龍頭用冷水洗滌，擦乾收回抽屜，完事。她總算可以回到打字機前，一路待到晚餐時間。

威勒頓小姐坐在打字機前，吐出一口氣。好了！她剛才想到哪了？噢，對，麵包師傅。嗯，

1美國家庭常見的廚房用具組，集屑刀是一片筆狀的金屬刮刀，集屑盒則形似手持的小畚箕。

麵包師傅。不行，麵包師傅不適合，角色形象不夠鮮明，展現不出社會張力。威勒頓小姐盯著打字機，A、S、D、F、G——她的視線在打字鍵上來回游移。嗯，那老師如何？威勒頓小姐納悶。不，絕對不行，教師這個職業總讓威勒頓小姐渾身不對勁。維洛普爾女校的老師是還可以，但問題就在全是女老師這點上。維洛普爾女子學校。威勒頓小姐想起了學校全名，她不喜歡這個名字，維洛普爾女子學校——太像研究生物的學校，她向來只報上維洛普爾畢業生的稱號。男老師的話，又讓威勒頓小姐覺得自己可能發錯音，總之教師不合時宜，也稱不上是社會問題。

社會問題、社會問題……那就佃農吧！雖然威勒頓小姐和佃農並無交集，但她沉吟道，佃農跟任何主角一樣具有藝術性，可以形成她所追求的社會隱憂氛圍，在她期望加入的圈子特別有價值！「我最會利用鉤蟲了。」她喃喃道。靈感來了！絕對沒錯！她的手指興奮地在鍵盤上輕敲，沒打出字，下一秒開始，振筆如飛。

「羅特．穆登，」她在打字機敲出：「呼喚著他的狗。」敲打在「狗」之後陡然停止。威勒頓小姐最擅長開場白，她老說：「開場白猶如閃電降臨！快如閃電！」她彈指：「快如閃電！」隨後繼續發展故事情節。「羅特．穆登呼喚著他的狗」這句話溜出威勒頓小姐的指尖，反覆默讀這一句時，她心想「羅特．穆登」這名字不僅很適合佃農，讓佃農呼叫他的狗也很適當。「小狗豎起耳朵，一溜煙來到羅特面前。」威勒頓小姐沒注意到錯誤，直接打出這句話，同一個段落裡出現兩次「羅特」，讀起來並不悅耳動聽。威勒頓小姐將打字機退回句子前面，在「羅特」兩個字上打了叉，再用鉛筆寫上「他」，然後繼續寫下去。「羅特．穆登呼喚著他的狗。小狗豎起耳朵，一溜煙來到他面前。」狗也出現兩次，威勒頓小姐暗忖。嗯，但她覺得出現兩次「狗」沒有兩次「羅特」那麼嚴重。

威勒頓小姐是她所謂「語音藝術」的死忠信徒，堅持耳朵和眼睛都是閱讀工具，她也喜歡這種說法。「眼睛會構成一幅抽象事物所描繪的畫面，」她會對美國殖民女性聯合會[2]說：「而文學探險的成功，（威勒頓小姐喜歡「文學探險」的說法）則取決於心靈形成的抽象意象，以及耳朵聽見的音律調性。（威勒頓小姐也喜歡「音律調性」這四個字）」因此，「羅特．穆登呼喚他的狗，」這句話就顯得鏗鏘有力，接下來「小狗豎起耳朵，一溜煙跑到他面前。」更爲這段落打下必要的劇情鋪陳。

「他揉了揉狗兒短小瘦弱的耳朵，接著在泥濘裡打滾。」威勒頓小姐暗忖，這句描述是否太矯情？但據她所知，佃農在泥濘裡打滾很天經地義。她讀過一本小說，小說角色也會這樣做，四

2美國的互助與服務性質社團，由美國殖民階級及其後裔出身的婦女所組成。

分之三的劇情描述甚至不堪入目。露西亞在打掃威勒頓小姐的衣櫃時，不小心發現這本小說，隨便翻看幾頁，就用大拇指和食指掐起這本書，扔進壁爐。「威莉，我今早整理你的衣櫃時發現一本小說，肯定是加納惡作劇，故意放進去的。」事後露西亞小姐對她說：「那本書眞的很噁心，你也知道加納這人多不正經。我已經燒掉那本書了。」她吃吃竊笑，又補一句：「我敢賭那絕不是你的書。」威勒頓小姐敢賭這本書肯定不是別人的，正是她本人的，但她遲疑是否要供認。由於她不想在圖書館開口借這本書，遂直接向書商訂購，加上運費共花了她三塊七毛五，而她還有四章沒看。但至少，她足以拍胸脯保證，羅特．穆登和他的狗在泥濘裡打滾很合理。在泥濘裡打滾，感染鉤蟲倒也順理成章，她心一橫決定：「羅特．穆登呼喚他的狗。小狗豎起耳朵，一溜煙來到他面前。他揉了揉狗兒短小瘦弱的耳朵，接著在泥濘裡打滾。」

威勒頓小姐背部往後一靠，這開場很精彩。接著是劇情安排，故事裡勢必有女性。也許羅特會殺了她，這類女人老是惹麻煩，甚至放浪形骸，激起他的謀殺念頭，動手後也許他會感到良心不安。

要是劇情走向如此，羅特就得是個有原則的人，但把他描寫成有原則的人並不難。這下威勒頓小姐納悶起來，思考要如何融合感情戲，要有暴力和自然場景，以及閱讀時自然而然會和這個階級的人劃上等號的虐待情節。這問題不小，但威勒頓小姐喜歡這種挑戰，她最喜歡熱血沸騰的場面，然而下筆之際她總會渾身不對勁，好奇家人會怎麼看待她。加納肯定一逮到機會就對她彈指貶眼，貝莎會覺得她很噁心，露西亞會用她那愚蠢的口氣說：「你到底對我們隱瞞了什麼，威莉？你想隱瞞什麼？」然後一如往常吃吃傻笑。但威勒頓小姐現在沒心情擔心這些，她得先構思角色。

羅特應該是個高眺駝背、頭髮蓬亂，有著哀傷眼眸的男人，儘管擁有粗紅脖子和笨拙大手，卻給人一種紳士感。他的牙齒整齊，象徵他的正直精神。一頭紅髮，穿著一身鬆鬆垮垮的衣服，但他若無其事的模樣，好像衣服只是一層皮膚。她心想，或許還是別讓他跟狗在地上打滾吧。女主角多少要有點姿色，擁有一頭金髮、豐腴腳踝、土黃色眼睛。

她在小木屋裡爲他煮晚餐，他則坐著吃她懶得加鹽巴、黏成塊的玉米粥，心思飄到遙遠的地方，想像著再買一頭母牛、粉刷房屋、潔淨水井、擁有屬於自己的耕地。女人對他又叫又罵，怪他沒幫忙多砍一點木材，又抱怨自己腰酸背痛。她坐在那兒注視著吃酸玉米粥的他，指責他沒膽去偷食物。她冷笑：「你這該死的乞丐！」他憤而叫她閉嘴：「閉上你的狗嘴！我受夠你了。」她翻了個白眼，譏諷大笑：「你覺得你這副德性，我會怕你嗎？」他將椅子奮力往後一推，走向她，她抓起餐桌上一把刀——威勒頓小姐不禁好奇這女人能有多蠢——她往後退，胸前緊握住刀。他往前一撲，但她已經如脫韁野馬般彈開。他們又面對面，彼此雙眼燃燒著恨意，左右擺動腳步，試探彼此，威勒頓小姐聽得見外頭錫皮屋頂滴滴答答讀著秒。他打算再次朝她一躍而上，但她已經握穩刀，可以瞬間刺向他。威勒頓小姐再也忍無可忍，她朝女人的後腦勺猛力一劈，刀子滑出她的手，屋裡湧起一陣霧氣捲走她。威勒頓小姐轉過身，對羅特說：「我來幫你煮一頓熱玉米粥吧。」她走到爐火前，拿一個乾淨盤子，裝上香滑白玉米粥，放入一塊奶油。

「哎呀，多謝，」羅特說，微笑時對她露出一口整齊牙齒：「你總是能把玉米粥煮得恰到好處。你知道嗎？我在想，我們可以搬出這佃農農場，搬進一個好房子。要是今年有收穫，我們可以買一頭母牛，展開自己的事業。威莉，你想這會有多棒。」

她坐在他身邊，一手歇在他肩頭，說：「可以的，我們會比往年好過，到了春天就有錢買母牛。」

「果然你最懂我的心，威莉，」他說：「你是最懂我的人。」

兩人坐在那裡半晌，想著他們有多麼相知相惜，最後她說：「快吃吧。」

吃完飯後，他幫她倒掉火爐灰燼，炎熱的七月夜晚，兩人沿著牧草地一路散步到溪邊，談論兩人未來建築的家園。

三月下旬，雨季即將降臨，他們的進度已迅速超前。過去整整一個月，羅特每天清晨五點起床，威莉則提前一個鐘頭就醒來，趁天氣晴朗完成工作。隔週，羅特說雨季可能就要到來，要是他們不及時收割作物，幾個月來的努力成果就會化爲烏有。他們知道這是什麼意思——跟去年一樣，又是毫無斬獲的一年。再說他們隔年也買不了母牛，只能生孩子。羅特無論如何都想要一頭母牛。「養孩子不用多少錢，」他說：「但要是我們有母牛，就養得飽孩子。」威莉態度堅決，她認爲母牛可以等，但孩子需要最好的起點。「或許，」羅特最終屈服：「我們會有足夠養孩子和買母牛的錢。」語畢他步出家門，凝望著甫耕犁好的田地，彷彿他能從犁溝算出收穫。

即使他們擁有的物質不多，這一年卻過得不差。威莉打掃棚屋，羅特修好煙囪，門階上的牽牛花欣欣向榮，窗下還長著金魚草。這年風平浪靜，但作物卻讓他們焦慮忐忑，他們必須在雨季前收割作物。「我們還需要一星期，」那晚步入屋內時，羅特低聲喃喃：「再一個星期就能收割了。你能幫忙收成嗎？當然你沒必要幫忙，」他嘆了口氣：「只是我請不起人。」

「我可以，」她說，將顫抖的雙手藏在身後：「我來收割。」

「今晚烏雲密布。」羅特鬱悶地說。

翌日，他們工作到暮色黯淡，直到再也無法繼續，才步履蹣跚地回到木屋，倒頭大睡。夜裡，威莉感覺到一陣疼痛，那是幾道紫光穿透的青綠悶痛。她懷疑這會兒是夢是醒。她的頭轉來轉去，有個嗡嗡作響的形體在頭裡研磨著卵石。

羅特坐起身，聲音顫抖地問：「你不舒服嗎？」

她一隻手肘想撐起身子，卻撐不住倒回去，只能喘著氣說：「快叫住小溪邊的安娜過來。」

嗡嗡聲這下變得更響亮，形體越來越灰濛。疼痛先與形體和聲音融爲一體，接著變成永無止盡的疼痛，一陣陣襲來，嗡鳴越來越響亮，清晨時分，她發現原來下了一場雨。事後她聲音沙啞地問：「雨下了多久？」

「差不多兩天了。」羅特答道。

「這下子我們眞的一無所有了，」威莉眼神空洞，望向屋外從樹木滴落的雨水：「全都付之東流。」

「沒有的事，」他溫柔地說：「我們有了女兒。」

「你想要的是兒子。」

「不，我得到我眞正想要的，兩個威莉，不是只有一個，比買一頭母牛好多了。」他露齒微笑：「威莉，我是燒了幾輩子的好香才這麼好命，嗯？」他俯身親吻她的額頭。

「但我可以幫你什麼？」她遲緩吐出這個問題：「我還能幫你什麼？」

「你可以幫忙去買菜嗎，威莉？」

威勒頓小姐一把推開羅特，結巴道：「你——你說什麼，露西亞？」

「我說，這次可以換你去買菜嗎？這週每天早上都是我去買菜，可是我現在沒空。」

威勒頓小姐從打字機前往後一退。「當然，」她尖聲問：「你要買什麼？」

「一打雞蛋和兩磅番茄，買熟番茄哦。還有你最好趕快治好感冒，你的眼睛開始紅腫了，聲音也很沙啞。浴室裡有阿斯匹靈，買菜的帳記在公費上，出門記得穿大衣，外面很冷。」

威勒頓小姐朝天花板翻白眼。「拜託，我都四十四歲了，」她宣布：「可以照顧好自己。」

「別記錯，是熟番茄哦。」露西亞小姐回道。

大衣鈕釦扣得凌亂不堪的威勒頓小姐步上布洛街，踏入超級市場。「要買什麼？」她喃喃自語：「哦對，兩打雞蛋和一磅番茄。」她走過罐裝蔬菜和餅乾區走道，朝放置裝箱雞蛋的走道而去，可是雞蛋已經沒了。「雞蛋在哪裡？」她問一個正在秤敏豆的男孩。

「我們沒有雞蛋了，只剩小母雞蛋。」他說，又撈起一把敏豆。

「在哪裡？這兩種蛋有什麼不同？」她問道。

他將幾根豆子扔回箱子，無精打采走向蛋箱，遞給她一盒：「其實沒有差別，」他說，將口香糖擠到牙齒前列：「比較年輕的母雞吧，我也不曉得。你要買嗎？」

「要，還要兩磅番茄……熟番茄。」威勒頓小姐趕緊補上一句。她不喜歡買菜，這些店員沒理由擺高姿態，要是換成露西亞來買，這店員才不敢浪費她的時間。她付了雞蛋和番茄的錢後匆匆離去。不知何故，這地方令她心情低落。

買菜居然讓她覺得心情低落，會不會太蠢了。不過是瑣碎家事，女人家買豆子，推著孩子乘坐的購物車，爲了八分之一磅的南瓜討價還價，她們是怎麼辦到的？威勒頓小姐忍不住納悶。這裡可有自我表達的機會、藝術創作的空間？她環顧四方，目光所及之處都一個樣——熙熙攘攘的人行道上，人們手提滿滿的小袋子，思緒中也塞滿瑣事。那邊有個太太用繩索拖拽小孩，將他從展示南瓜燈的櫥窗前拉回來，恐怕餘生都會這樣控制他。那邊還有一位太太，購物袋不小心落在街上，東西掉得滿地都是，另一個太太則在替小孩擦鼻子。街對面有個老嫗，帶著三個蹦蹦跳跳的孫子走來，他們身後有一對情侶檔，路不好好走，不成體統地黏在彼此身上。

情侶越來越靠近，錯身而過的當下，威勒頓小姐眼神犀利地緊盯他們。女人身材豐滿，擁有一頭金髮、豐腴腳踝、土黃色眼睛，她穿著高跟鞋和藍色踝環，棉裙短到不能再短，身上披一件格紋夾克，斑點爬滿她的肌膚。她猛然伸長脖子，彷彿想要嗅聞某樣不停從她面前端走的東西，臉上掛著空洞愚蠢的微笑。男子生得高䠷，卻身形枯槁、頭髮蓬亂、佝僂駝背，粗紅大脖子上長有黃色節瘤。他笨拙地牽住女孩的手，兩人東倒西歪走著，他對威勒頓小姐露出幾次苦笑，她看得出他擁有一口整齊牙齒、一雙憂鬱眼眸，額頭長著疹子。

「噁。」她打了個冷顫。

威勒頓小姐在廚房餐桌上卸下剛買回來的菜，衝回打字機前，盯著紙張上的文字：「羅特·

穆登呼喚他的狗。小狗豎起耳朵，一溜煙來到他面前。他揉了揉狗兒短小瘦弱的耳朵，在泥濘裡打滾。」

「太難看了！」威勒頓小姐喃喃，語調堅定道：「這才不是我要的男主角。」她需要更色彩鮮明、更具藝術性的角色。威勒頓小姐凝視打字機許久，剎那間掄起拳頭，欣喜若狂地連敲幾下桌面：「愛爾蘭人啊！」她尖聲道：「愛爾蘭人！」威勒頓小姐向來欣賞愛爾蘭人，她心想，他們的口音充滿音樂性，他們的歷史燦爛輝煌！至於愛爾蘭人，她若有所思。愛爾蘭人啊！他們精神抖擻，紅髮、肩膀寬闊、蓄著濃密長鬍鬚。

火車

他一心想著那位服務員，差點都忘了臥鋪的事。他有一席上鋪，火車站售票員說要給他一席下鋪，海茲反問沒有上鋪嗎？對方說如果他想要上鋪當然有，於是分配上鋪給他。海茲的背靠上座椅，瞥見頭上圓弧狀的天花板，床就藏在那裡。他們會從天花板放下床，上床要爬梯子。他左顧右盼沒發現梯子，猜想梯子應該是收在衣櫃裡。衣櫃就在進門處，他剛上火車時瞥見那名服務員站在衣櫃前，正要披上制服外套。自那一刻起，海茲的時間就停止了，停在他所站立的位置。

他轉頭的姿勢神似，後頸神似，短短一截的手臂也神似。他站在衣櫃前回過身瞄了眼海茲，海茲瞥見他的眼睛，就連這雙眼眸也很神似，簡直一模一樣，乍看之下根本是老凱許的分身，卻有那麼點不一樣。譬如他回望的眼睛，眼珠轉動的模樣跟老凱許不一樣，堅定而無情。「你……你什麼時候會放下床？」海茲支支吾吾地問。

「還要再等一會兒。」服務員說，手又探向衣櫃。

海茲不知道還能對他說什麼，於是走進自己的車廂。

如今火車灰濛濛穿梭過轉瞬卽逝的樹木與田野，無動於衷的天空烏漆墨黑，朝著反方向飛梭而去。海茲的後腦勺靠著座位，凝視窗外景色，列車內的淡黃光線不慍不火照在他身上。服務員二度經過他的車廂，來回各兩趟，第二趟往回走時，銳利目光掃向海茲，又不發一語繼續前進。海茲轉頭注視他，就像上一趟那樣。就連步態都很神似，峽谷區的黑人都很像，宛如一家人——粗壯光頭，全身堅硬得猶如石頭，不見半點贅肉，身高五呎不出兩英吋。海茲很想和這名服務員說話，要是他告訴服務員：我來自伊斯特洛德，不知對方將作何反應？

列車滑進埃文斯維爾時，一位女士上車，在海茲的正對面坐下，這代表下舖床位是她的。這位太太說她覺得照理說應該會下雪，她丈夫開車送她到車站時也說了，要是他到家前還不下雪，眞的不可思議。他們住在市郊，所以他要開十哩路程才回得了家。她正準備去佛羅里達州探望女兒，在這之前她沒有這等閒功夫，可以去那麼遙遠的地方。事情接二連三發生，歲月如梭，快得你分不出自己是老了，還是年輕依舊。她彷彿覺得自己被時間矇騙，睡覺的時候時間被調快了兩倍，讓她無法直視。海茲很開心有人可以陪他聊天。

他還記得，小時候他和媽媽及其他兄弟姊妹搭乘田納西鐵路，前往查塔努加的事。他的母親總會和其他乘客閒聊。就像剛放出柵欄的捕鳥老獵犬，俯衝嗅聞著每一塊石頭、每一根樹枝，每次停下腳步都用力吸入周遭空氣。等到他們準備下車時，車上每個人已經和她聊過，她也記得每一個人。多年後，她會提到她很想知道現在那位前往福特威斯特的女士人在何方，或是好奇那位聖經銷售員的太太是否出院了。她待人接物總是發自內心的熱情，彷彿發生在交談對象身上的事，都是她自個兒的事。她是傑克森家的人，她叫安妮．盧．傑克森。

我母親是傑克森家的人，海茲自言自語道。雖然目光持續凝視對面的女士，彷彿仍在洗耳恭聽，但他的心思早已飄到他處。他說，我的名字是海茲．維克斯，現年十九歲。我的母親是傑克森家的人，我在伊斯特洛德長大，田納西州的伊斯特洛德。他又想到那位服務員，準備去問對方幾個問題。他突然冒出一個想法，也許服務員就是凱許的親生兒子。凱許有一個兒子逃跑了，這事發生在海茲出生前。無論如何，他相信服務員會知道伊斯特洛德的。

海茲目光瞥出窗外，凝望著黑黢黢飛逝而過的形體。即使是深夜，他也能閉上眼，一眼就認出伊斯特洛德。他能找到由一條道路分隔的兩棟房屋、商店、黑人住宅、一間穀倉、延伸至牧草地的柵欄，月光灑落的柵欄呈現銀白色。他讓騾子轉過頭，面向柵欄，臉露出外面，讓牠感受夜晚。他也感受到了，他感覺得到夜色正輕柔撫觸他。他看見老媽走到小徑，雙手在剛脫下的圍裙上一抹，彷彿夜色在她身上起了變化，她站在門口嚷嚷：海——茲——海茲——快進門！火車幫他說了出口，他想要起身去找那名服務員。

「你這趟是回家嗎？」霍森太太問他。她的全名是瓦勒斯．本恩．霍森太太，婚前是希區考克小姐。

「噢！」受到驚嚇的海茲說：「我會在、我會在托金罕姆下車。」霍森太太認識幾個埃文斯維爾的人，他們在托金罕姆有表親，印象中好像是某位亨利斯先生。海茲要是來自托金罕姆，很可能認識他，不知他有沒有聽過……

「我的出生地不是托金罕姆，」海茲結結巴巴：「我對托金罕姆一無所知。」他的眼神並未望向霍森太太，他知道接下來她會問什麼，也感覺到問題來了——問題還眞的來了：「那麼你住哪裡？」

他想從她身邊逃之夭夭。「我是要去那裡，」他含糊其詞，坐立難安，然後說：「但我不是很熟，雖然是要去那裡沒錯，但……這只是我第三次去托金罕姆，」他慌張脫口而出，她的臉徐湊向他，緊緊注視著他——「我六歲去過一次，之後就再也沒去過。我對那裡一無所知。有次我是去那裡看馬戲團表演，但不是……」他聽到車廂尾端傳來金屬撞擊聲，轉頭查看是哪裡傳來的聲音。服務員正拉出藏在車廂隔間裡的牆面，「我要去找一下服務員。」語畢迅速逃向走道，他不知道他要對服務員說什麼，他來到他身邊，卻不知該說什麼。「我猜你正在準備鋪床？」他說。

「沒錯。」服務員說。

「鋪一張床要多久？」海茲問。

「七分鐘。」服務員回道。

「我來自伊斯特洛德，」海茲說：「我來自田納西州的伊斯特洛德。」

服務員說：「這班列車不會到伊斯特洛德。要是你打算去田納西州，那你坐錯車了。」

「我是要去托金罕姆，」海茲說：「但我來自田納西州的伊斯特洛德。」

「你想要現在鋪床嗎？」服務員問他。

「啊？」海茲說：「田納西州伊斯特洛德。你聽說過伊斯特洛德嗎？」

服務員拽下座椅並壓平側邊，說：「我是芝加哥人。」他陡然拉下窗戶兩側的窗簾，壓平另一張座椅。就連後頸都很神似，彎腰時背部也出現三塊隆起。他是芝加哥人。「你現在擋在走道中央，別人得擠過你身邊才能通行。」他忽地對海茲說。

「那我還是坐下好了。」海茲滿臉通紅。

他走回車廂，他曉得乘客都在盯著他，霍森太太正望向窗外，這下子扭過頭，一臉狐疑地打量他，問他是否還沒下雪，接著又若無其事閒聊起來。她猜今晚丈夫恐怕得自個兒料理晚餐，她付錢找一個女孩到家裡幫忙煮午餐，但晚餐得由他自個兒處理。她覺得男人偶爾做點家事並無大礙，有其好處。瓦勒斯並不懶散，但他並不曉得整天忙家務事有多辛苦。真不知到了佛羅里達州後，知道家裡有個人在等她，是否還能放心地玩。

他是芝加哥人。

這是她五年來第一次出門度假。五年前，她曾去大急流城找妹妹。光陰似箭啊，現在她妹妹已經離開大急流城，搬到滑鐵盧。要是再見到她妹妹的小孩，她只怕是認不出了。她妹妹在信裡提到，孩子現在都跟他們父親一樣高大。霍森太太又說，物換星移啊，她妹妹的丈夫曾經爲大急流城的城市供水系統服務，職位不錯，但一搬到滑鐵盧，他啊……

「我上次回去，」海茲說：「要是住那裡的話，我就不會在托金罕姆下車了。你知道，路線在那裡岔開……」

霍森太太眉頭一皺：「你心裡想的大概是另一個大急流城，」她說：「我說的大急流城是大城市，位置一直沒變過。」她瞅住他半晌，又續道：他們在大急流城時過得還不錯，但到了滑鐵盧他突然開始酗酒。她妹妹必須擔起養家重擔，教養孩子，霍森太太實在想不透，這個妹夫怎能年復一年只是呆坐在那兒。

海茲的母親在火車上話並不多，通常只是聆聽。她是傑克森家的人。

過了一會兒，霍森太太說肚子餓了，問他想不想去餐車，他索性跟著去了。

餐車內座無虛席，乘客必須在外頭排隊。海茲和霍森太太排了半小時，在狹窄走道上左搖右晃，每隔幾分鐘就得貼緊車廂一側讓人通行。霍森太太開始和她身旁的女士聊起來，海茲眼神呆滯地盯著牆面。幸好他遇見霍森太太，否則絕對沒有勇氣自己來餐車。若不是她一直聊天，他應該能思緒清晰地告訴她，他上次去過大急流城，但服務員不是那裡的人，只是模樣特別像峽谷區的黑人，像極了老凱許的親生兒子。他打算在晚餐上告訴她這件事。他無法從站立的角度看見餐車內部，禁不住好奇裡面是什麼模樣。他猜想大概跟一般餐廳沒兩樣吧，然後又想到舖位。等到晚餐結束，舖位也許已經鋪好，到時他就能立刻上床休息。要是老媽知道他在火車上有張睡舖，不知會作何感想。他猜她八成沒想到會有這一天。靠近餐車入口時，他總算瞥見餐車內部，跟隨便一間市區餐廳一樣嘛！他猜她八成沒料到吧。

每當有客人離場，領班就會招呼隊伍最前面的人進門，有時是一個人，有時是兩人以上。他示意兩個人前進，這下隊伍又往前挪動，海茲、霍森太太和她正在交談的女士站在餐車尾端，朝裡頭探頭探腦。過一分鐘後又有兩人離場，領班一個手勢，霍森太太和那位女士步入餐車，海茲跟在她們後面，卻硬生生被領班擋下來，領班說：「限兩人座。」然後推他回走道。海茲的臉漲成難看的豬肝色，他本想擠到下一位客人身後，再穿越人龍走回車廂，無奈漫長隊伍全擠在出入口，他哪裡也去不了，只能呆立原地，周遭的人全在上下打量他。好一陣子都沒人離場，他呆呆杵在原地，霍森太太也沒再回頭找他。最後遠方有位女士起身，領班的手一拽，海茲遲疑片刻，領班的手又拽了一下，他才搖搖晃晃穿越走道，中途不慎跌倒撞上兩張餐桌，手沾到咖啡。他沒抬頭看跟他同桌的人，匆匆點了菜單上第一樣餐點。食物送來，他想都沒想就直接吃起來，和他同桌的人早已吃完，他能感覺到同桌客人等待的目光正緊盯著他。

離開餐車時他四肢無力，緊張的雙手不由自主地抖動。領班招呼他就座彷彿已是一年前的事，他在兩台車廂之間停下來，深吸一口冰冷空氣，沉澱思緒。冷靜下來後他走回車廂，發現床位全部鋪好，幽暗走道飄散著不祥氣息，懸空在一片墨綠之中。他再次想起他有張睡舖，而且是上舖，他立刻便能就寢休息。躺下後可以稍微揭開窗簾望出窗外，如他所預期地觀賞火車夜景，在列車移動時凝視深夜。

他取出行李袋，進男廁換睡衣。一張標示牌寫道，請找服務員協助你到上舖休息。他突然想到，服務員可能是某位峽谷黑人的表親，他可以問他是否有表親住在伊斯特洛德，或至少在田納西州。他來到走道，開始左顧右盼尋找服務員的人影，爬到上舖前或許有機會和他稍微閒聊。服務員不在車廂尾端，於是他走到另一端查看。繞到轉角時，他不小心撞上某個亮粉色的東西，那東西發出一聲驚呼，嘴裡咕噥：「笨手笨腳！」原來是霍森太太，打成結的粉紅浴巾盤繞在她頭頂。他都忘了她的存在。她的頭髮往後梳，烏黑毒蕈般的髮結框出面孔。她想從他身旁擠過，他也想讓路，兩人卻每回都沒有默契地往同一個方向移動，搞到最後她的面孔漲得又紫又紅，唯獨臉上幾顆小白斑沒有滾燙沸騰。最後她渾身一僵，不再挪動，問他：「你是哪裡不對勁？」他竄過她身邊，倉皇衝上走道，卻在那一剎那不小心撞上服務員，服務員腳沒站穩，海茲就這樣跌在服務員身上，臉孔正好在服務員臉部上方。那是老凱許．西門斯的臉孔。那瞬間他無法從服務員身上爬起來，內心默想，這不是凱許嗎？他不禁屏息：「凱許。」這時服務員一把推開他站起來，匆匆步上走道。海茲踉蹌從地上爬起，跟在服務生背後，嚷嚷著他想到上鋪休息，內心不禁想，這人肯定是凱許的親人。那瞬間某樣東西趁他一個不留神敲醒了他：這人就是凱許當初逃跑的兒子。也就是說，其實他是知道伊斯特洛德的，只是他不想回去，不想談論伊斯特洛德，也不想談凱許。

服務員架好爬上上鋪的梯子，他站在那裡。接著他邊爬梯，邊凝視服務員，像是看見凱許本人，只是有哪裡不一樣。他們眼神不同。爬到一半，他的目光仍定定注視服務員：「凱許死了。他被豬傳染霍亂。」服務員的嘴唇往下一撇，瞇起雙眼，望著海茲，咕噥：「我是芝加哥人，我父親在鐵路工作。」海茲愣愣盯著他，接著忍不住大笑失聲：一個在鐵路「工作」的黑人？他繼續大笑，服務員突然胳膊一拽，收起梯子，這動作讓緊捉住棉被的海茲順勢翻滾到上鋪。

他伏在上鋪，跌上床的他全身輕顫。凱許的兒子，他是伊斯特洛德人，只是不想與伊斯特洛德有任何瓜葛，他痛恨這座小鎮。海茲維持這個姿勢許久，一動也不動，彷彿在走道上撞倒服務員已是一年前的事。

過了一會兒，他突然想起自己已經躺在上舖，於是他轉身開燈，環顧四周，卻發現床位沒有窗戶。

側邊牆上沒有窗子，他無法開窗，牆壁根本沒有裝窗戶，只有一張漁網般撐開的東西，但那不是窗。那一秒，他腦海中閃過一個念頭：服務員肯定是故意的，故意給他一張沒有窗戶的睡舖，只有一張撐開的漁網——全因為他討厭海茲。但肯定所有舖位都一樣，沒有窗。

上舖低矮，床面隆起。他躺下，隆起表面像是沒有完全密合，正慢慢合起。他動也不動躺在那裡，喉嚨似乎卡著一塊雞蛋味的海綿。他晚餐吃的是雞蛋，而這正是現在不偏不倚卡在他喉頭的海綿。他害怕雞蛋移位，因此不想翻身。他想關燈，想要掉進一片漆黑。他最後沒有翻身，而是騰出一隻手摸索開關，熄燈後黑暗撲襲而來，接著稍微褪去，原來是走道燈光順著地板空隙鑽了進來。他想要純正的黝黑，不是這種稀釋過後的黑。他聽見走道傳來服務員走動的腳步聲，踏在地毯上的悶響節奏穩定，輕輕刮擦青綠色的窗簾，最後聲音又被吞沒於另一側。他來自伊斯特洛德，他是伊斯特洛德人，卻痛恨這座小鎮。凱許不會承認他是他兒子的，凱許不會想要他的。他才不會想要穿著雪白猴裝外套、口袋裡隨身攜帶小掃帚的傢伙。凱許的衣服聞起來像在石頭下壓了許久，帶有一股黑人氣味。他思索著凱許的味道，卻只聞得到火車。伊斯特洛德已經沒有峽谷黑人。伊斯特洛德。轉入大馬路後，他在半幽暗的漆黑之中，看見釘上木板的商店窗子，穀倉大門敞開，黑溜溜地空無一物，小房屋有一半已被貨車運走，前廊已不復在，走道已沒有地板。上次休假時，他本來要從喬治亞州的軍營前往托金罕姆的姊姊家，但他並不想去托金罕姆，所以即使心知肚明伊斯特洛德的現狀，他還是回去了：兩大家族目前四散於不同城鎮，就連住在大馬路的黑人都搬到孟菲斯和默弗里斯伯勒等地。他回到小鎮，睡在老家的廚房地板，一塊從屋頂砸落的木板打中他的頭，割傷了臉。躺在上鋪的他猛然一跳，像是感覺到那塊木板的重量，火車震顫又和緩，和緩又震顫。他在屋內穿梭，想看看有沒有忘在屋裡沒帶走的東西。

他的媽媽老是睡在廚房，她的胡桃色衣櫥就擱在那，就只有那麼一只衣櫥。她是傑克森家的人。她買這個衣櫥時付了三十美元，今後再沒買過這麼貴重的東西。他們把衣櫥留在原地，想必是貨車沒空位，載不走衣櫥。他拉開抽屜，最上層的抽屜裡有兩條包裝繩，其餘抽屜空蕩蕩的。他很訝異居然沒人進屋裡偷走這樣一只衣櫥。他取出包裝繩，將衣櫥四腳固定在木地板上，並在每個抽屜裡留下一張紙條：這是海茲．維克斯的衣櫥，小偷切勿動歪腦筋，否則我會追殺你到天涯海角。

要是知道這衣櫥如今顧得好好的，想必她就能安息。要是她半夜回到廚房，就看得見這個衣櫥。他納悶她是否會在夜裡散步回家，臉上仍掛著那副表情，焦慮不安地左顧右盼，走上步道，再穿越大門敞開的穀倉，最後來到釘有木板的商店旁，在影子底下停止腳步，然後又神色不安地回來，那表情就像他透過縫隙看到的模樣。他們合上棺木那刻，他從縫隙瞥見她的臉孔，他看見陰影籠罩她的面容。她的嘴唇垮下，猶如對她的安眠不滿，彷彿隨時準備跳起來推開棺木，像是一個想要重獲自由的幽靈——但他們最後還是蓋上了棺木。她很可能逃出棺木，可能隨時彈跳起來，他看見她猶如龐大恐怖的蝙蝠鑽出縫隙飛走，可是棺木卻在她身上蓋起，棺蓋徐徐掩上。他在裡頭看著它徐徐關起，杜絕哪怕只有一絲光線滲入，從室內和窗戶瞥見的樹木瞬間一黑。他睜開眼，發現上鋪的床漸漸合起，他從縫隙間一躍而起，身體卻卡在縫隙，懸掛在那裡不住扭動。他感到一陣暈眩，車廂內的昏暗光線幽幽照亮腳下地毯，他依舊在頭暈扭動著，渾身濕透橫掛在床，只見服務生在車廂另一頭，猶如佇立黑暗之中的雪白形影，一動也不動地望著他。接著海茲跟隨蜿蜒的火車軌道，頭暈目眩地跌回飛梭列車裡的靜謐。

好運臨門

露比走進公寓大樓的前門，往入門處的一張桌子放下紙袋，裡頭裝有四罐三號豆罐頭。她累到胳膊無法從紙袋上鬆開，手臂也打不直，腰部以上半癱著掛在桌邊，頭顱猶如一顆紅潤的碩大蔬菜，冒出紙袋上緣。她瞅著桌上爬滿點點黃斑的幽暗鏡面，神情冷硬且帶有強烈不認同，與鏡子裡那張漠然的面孔對峙。粗硬的羽衣甘藍葉在回家半途就探出紙袋，這時正戳著她的右臉頰，她用手臂嫌惡地抹了下臉，接著站直身子，用努力抑制怒火般的口吻咕噥著：「羽衣甘藍啊，羽衣甘藍。」打直身子後，其實能發現她的個頭嬌小，擁有彷如骨灰甕的身形。她的一頭桑椹紅髮原先盤繞成香腸捲造型，然而從雜貨店走了一大段路後，加上火傘高張，幾撮髮絲從頭頂紛落，狂亂刺往不同方向。「羽衣甘藍葉！」這次她字字分明從嘴裡吐出這幾個字，彷彿它們是有毒種籽。

她和比爾·希爾已經五年沒吃羽衣甘藍，她本來也沒打算再煮這道菜，全都是爲了路法斯買的，而且僅只一次，下不爲例。你可能以爲經過兩年軍隊生活的洗禮，返鄉後的路法斯飲食口味應該會改變。想得美。她問路法斯想吃點什麼特別的，他才沒那種進取心，努力想出一道文明料理，只說想吃羽衣甘藍。她本來還指望路法斯成爲一個有志氣的人，現在看來，他的志氣跟一支拖把沒兩樣。

路法斯是她剛從歐洲戰場[1]返國的弟弟，他們的故鄉庇特曼已不復在，所以回來後他搬來與她同住。庇特曼的居民都有自知之明，曉得要認命離開這座城鎮，死的死，走的走，能搬走的都搬到城市了。露比嫁給在神奇產品公司當銷售員的比爾·B·希爾，因而搬到市區。要是庇特曼還在，路法斯肯定會回到那裡；要是庇特曼還有一隻雞大搖大擺地過馬路，路法斯肯定會回去陪牠。她實在不想承認她的親人——尤其是她弟弟，偏偏她無法嘴硬——眞的一無是處。「我五分鐘就看透他了。」她這麼告訴比爾·希爾。比爾·希爾面無表情地回她：「我只需要三分鐘。」被這種丈夫發現你有這種弟弟實在慚愧。

她心想路法斯恐怕已經沒藥醫。他和其他兄弟姊妹沒有兩樣，而她是唯一與衆不同、還有點志氣的孩子。她從手提包掏出一小截鉛筆，於紙袋側邊寫上：比爾，幫我把這袋提上樓。接著，

1此指第二次世界大戰。

她在階梯底鼓起勇氣，往四樓展開攻頂。

階梯像這棟房屋裡一條細長墨黑的裂口，覆蓋著彷彿從地板長出來的鼷鼠色調地毯，她感覺樓梯就像尖塔階梯扶搖直上。階梯陡立而升，她一站在階梯底端，它們就聳立向上，彷彿特別爲了她變得更爲陡峭。她抬頭望著階梯，愣愣地張開嘴，一臉厭惡地拒絕接受現實。憑她目前的狀態是絕對爬不上去的，她生病了。佐里達太太已告訴她，但其實在那之前她早就心知肚明。

佐里達太太是大街八十七號的手相命理師。她說：「你會生一場久病，」她一臉「我早就知道，無奈天機不可洩露」的表情，悄聲補充：「但你會好運臨門！」隨即背靠回椅子，臉上蕩漾一抹笑意。佐里達太太是個身材短胖的女人，一對綠油油的眼珠彷彿上了油般在眼窩裡轉動。露比根本不用誰來告訴她，她也知道好運正在等著她。「變遷」。這兩個月來她一直有股預感，他們肯定會搬家。比爾．希爾不可能繼續等下去，因爲他不會想害死她。她想搬到住宅區——她的身體前傾，手緊捉住欄杆，開始踩上階梯。住宅區會有社區專屬的藥局、雜貨店、電影院，現在她住在市中心，想要去主要購物大街必須先穿過八條街，再往前走才會到達超級市場。整整五年來，她半句怨言都沒有，然而即使她年紀輕輕，在目前健康堪慮的情況下，他覺得她能怎麼辦？自生自滅嗎？她的目標是搬到梅朵克雷斯特高地，住進一棟裝有黃色雨棚的聯式平房。她呼吸急促地停在第五階。她還年輕，年僅三十四歲，誰想得到五步台階會毀了她。你最好走慢一點，親愛的。她告訴自己：你還年輕，不要自毀前程。

三十四歲並不老，根本還早得很。她還記得母親三十四歲的模樣——像是一顆表皮發皺的蠟黃蘋果，飄著一股酸味。她一直都面露刻薄，彷彿從不曾對人生滿意過。她拿三十四歲的自己和三十四歲的母親相比：母親頭髮灰白，而她即使沒有染髮，也不見一絲灰白。孩子就是催母親變老的主因——她一共生了八個孩子：兩個一出生就死亡，一個出世一年後夭折，另一個則被除草機壓死。每經歷一個孩子的死，母親就死一遍。這一切都是為了什麼？還不是因為她的愚昧，單純的愚昧，愚蠢至極！

還有她那兩個姊姊，兩人都已婚四年，分別有四個孩子。她不明白她們是怎麼辦到的，總是去看醫生，被醫療器材戳來戳去。她還記得母親生下路法斯那天，她是全家唯一受不了母親哀嚎的孩子。為了遠離母親的尖叫聲，她在豔陽下走了十哩路到電影院，最後看了兩部西部片、一部恐怖片、一部電影續集，再一路走回家，到家後卻發現一切才剛開始，她徹夜都得聽母親的鬼哭神嚎。母親經歷這般千辛萬苦，為的僅僅是生下路法斯！而他的責任感只形同一張桌布。她親眼目睹他出生前啥都不做，只是傻傻等著出生，等啊等，等著讓他那年僅三十四歲的母親變得年老力衰。她出力抓住扶手，撐起全身力量，往前邁出一階，搖搖頭。老天，她對他實在太失望！她向所有朋友通知過，弟弟從歐洲戰場返家了，但現在的他卻像剛從豬圈裡逃出來的一頭豬。

他也是一臉老態，他明明比她年輕十四歲，長得卻比她老氣。就年齡來看，她的樣貌特別年輕，當然也不是說三十四歲已經是老太婆，不管怎樣她都已婚了。她得面帶微笑，相信正是因爲她嫁得比姊姊好，她的外表才不顯蒼老，姊姊都嫁給周遭城鎮的人。「我快喘不過氣了。」她咕噥，又停下步伐，決定先坐下歇個腿。

每一段樓梯都有二十八個台階——二十八！

她屁股一坐下就立刻彈起來，屁股下面有個東西。她屏住一口氣，抽出壓在屁股下的玩意兒：原來是哈特利·吉爾菲特的手槍。九英吋長的危險錫製手槍！哈特利是住在五樓的六歲小鬼。他要是她的小孩，絕對會狠狠受一頓教訓，日後哪還敢隨便在公用階梯上亂丟玩具。她很可能踩到玩具，跌散一身骨頭！即使她警告他那愚蠢的老媽，她肯定還是視若無睹，只會對著他尖叫，急著告訴大家她兒子有多聰明。她都稱呼他：「幸運小寶貝！」、「他是他那可憐老爸留給我的骨肉！」他爸在臨終前對她說：「我什麼都無法給你，只有他了。」她卻回說：「羅德曼，你帶給了我幸運！」於是她叫他幸運小寶貝。「看我怎麼磨光他的好運！」露比咕噥。

爬到一半，她感覺階梯猶如翹翹板上上下下。她可不想反胃，千萬別再來，現在不行。不，她並不想吐。她往階梯上撲通一坐，立刻閉起眼睛，等頭暈目眩稍微緩解，不那麼反胃。想都別想，我絕不會去看醫生，她說。不，不，她絕對不去。他們得先敲昏她，才能把她抬去看醫生。

這幾年來她好好照顧自己，不生病、不拔牙、不生小孩，這些全都由她自己一手搞定。要是不謹慎，她現在肯定早有五個孩子。

她不下一次感到納悶，喘不過氣有沒有可能是心臟的問題？爬樓梯時偶爾會伴隨胸痛，她希望心臟就是問題所在。畢竟心臟是不可能移除的，他們得先一記敲昏她，才能送她到醫院附近，這是唯一的辦法——要是他們不敲昏她，說不定她會翹辮子？

才不會。

說不定呢？

她逼自己別再想血腥畫面。她才三十四歲，沒有慢性病，豐腴有肉，氣色紅潤。她再次拿現在的自己和三十四歲的老媽比較，然後掐了下自己手臂，硬逼自己露出微笑。她曉得父母的樣貌蒼老，相較之下她的外表維持良好。他們把自己搞到精疲力竭，倦累不堪，庇特曼也是催他們變老的元凶。他們和庇特曼一樣疲憊脫水，變得皺巴巴，她居然是在這種環境下長大的！她可是充滿生命力啊！她緊捉著手扶欄杆起身，自顧自展開笑顏。她是個性格溫暖的人，圓潤又美麗，卻不至於肥胖，比爾．希爾就喜歡她這樣。她最近是胖了點，但他並沒注意到她變胖，只是近來心情似乎不錯，她也不曉得他為何心情好。她感覺到全身上下的重量，並拖著全身重量努力爬上階梯，總算爬完第一段樓梯後，她心滿意足地回頭張望。要是比爾．希爾從樓梯摔過一次，也許就會心甘情願搬家。但他們在那之前就會搬的！佐里達太太也證實了。她放聲大笑，一腳踏上三樓走廊，賈格先生的家門發出喀嚓一聲，嚇了她一跳。噢，老天爺，她暗自想著，是他啊。賈格先生是怪裡怪氣的二樓住戶。

他仔細盯著她步上走廊：「早安！」他鞠躬，上半身探出門緣。「你早啊！」他的模樣像一頭山羊，小眼睛彷若葡萄乾，蓄著山羊鬍，穿著近乎墨黑的綠夾克，不然就是近似綠色的墨黑。

「早安，」她說：「你好嗎？」

「我很好！」他尖著嗓子說：「今天是光輝燦爛的日子！」他已經七十八歲，狀似整臉爬滿黴菌。他每天早晨讀書，下午到外面的人行道散步，攔下孩子向他們提出問題。只要聽到公寓走廊上有人聲，他就會拉開門，朝門外探頭探腦。

「是啊，今天是好日子。」她意興闌珊回道。

「你知道今天是哪個偉大的誕辰紀念日嗎？」他問。

「哎呀……」露比說。他老愛提出諸如此類的問題，無人知道解答的歷史問題。他會提問，然後滔滔不絕說個沒完，他曾是高中老師。

「猜一下嘛！」他催她。

「林肯總統。」她含糊道。

「哈！你沒認眞猜哦，」他說：「再試一次。」

「華盛頓總統。」她說，眼睛盯著上樓的階梯。

「眞是枉費！」他大喊：「虧你老公還是那裡人！佛羅里達啊！是佛羅里達！今天是佛羅里達州的誕辰紀念日！」他嚷嚷：「快進來！」他勾起一根修長手指邀她進門，一溜煙遁回屋內。

她走了兩步，說：「我得先走了。」然後把頭探入門內。這居所簡直像個大衣櫥，牆面全貼滿各地建築明信片，給人一種空間錯亂的感覺，唯一一盞透明燈泡懸掛於一張桌子及賈格先生頭頂上方。

「你來看一下，」他說，對一本書彎下腰，手指順著句子唸下去：「『一五一六年四月三日，復活節日，他抵達大陸頂端。』你曉得文中的『他』是誰嗎？」他逼問。

「我知道，哥倫布。」露比說。

「是龐塞．德萊昂！」他尖叫：「龐塞．德萊昂！你應該多少知道佛羅里達州的歷史吧！」他說：「你老公是佛州人。」

「是啊，他是在邁阿密出生，」露比說：「不是田納西州人。」

「雖然佛羅里達州不是地位尊貴的州，」賈格先生說：「卻非常重要。」

「我想還可以吧。」露比說。

「你知道龐塞·德萊昂是誰嗎?」

「佛羅里達的創州人。」露比爽朗地說。

「他是西班牙人,」賈格先生說:「你知道他在找什麼嗎?」

「佛羅里達。」露比回道。

「龐塞·德萊昂在尋覓青春之泉。」賈格先生閉上眼。

「噢。」露比悶悶地說。

「那是一種泉水。」賈格先生繼續道:「喝下泉水,就能永生不老,換句話說,」他說,「他想要青春永駐。」

「後來他找到了嗎?」露比問。

賈格先生雙眼依舊緊閉,過了一分鐘,說:「你覺得他找到了嗎?你覺得他真的找到了嗎?你覺得要是他找到了,會沒人去朝聖嗎?你以爲全世界的人都不會衝去喝上一口嗎?」

「我哪知道。」露比說。

「沒人想要知道。」賈格先生哀怨道。

「我先走一步了。」

「是,泉水是找到了。」賈格先生又接口。

「在哪裡？」露比問。

「但被我喝掉了。」

「你在哪裡找到泉水的？」她追問，稍微往前欠身，嗅到他的氣息，很像把鼻子湊在禿鷹翅膀下會聞到的氣味。

「在我心裡。」他說，一手擺在胸前。

「噢，」露比往後一退：「我得先走了，我弟弟應該在家。」她踏出門檻。

「問問你老公知不知道今天是哪個偉大的誕辰紀念日！」賈格先生說，故作神祕地凝望她。

「好，我會的。」她轉過身，等待門閂關上的聲響。回頭發現門已關上後，她深深吐出一口氣，再度面對那段還沒走完的漆黑陡峭階梯。「老天爺。」她說，感覺越是往上爬，階梯就顯得越漆黑陡峭。

她爬了五階後已經差點沒氣，她繼續爬了幾階，深深吐出一口氣，接著停下腳步。她的胃部感到一陣劇痛，像有個東西在擠壓什麼。她曾有過類似感受，而且發生在幾天前而已。這是最令她恐懼的，癌症兩個字會劃過她腦海，但她旋即放棄這個念頭，畢竟癌症不會找上她，因爲不可能。劇痛發生時，這兩個字又立卽湧上心頭，但她和佐里達太太已經排除這個可能性。最後會好運臨門的。她狠狠剁碎癌症這兩個字，剁成辨識不出形狀的碎片。再一層樓，她再爬一層樓就非得好好休息，老天，要是她眞爬得到那裡，她要找萊維爾娜．瓦茲談談。萊維爾娜．瓦茲是三樓住戶，一名足踝科醫師的祕書，也是她的好朋友。

她氣喘吁吁爬到三樓，膝蓋癱軟無力，接著舉起哈特利．吉爾菲特的玩具槍托敲敲萊維爾娜的房門。她倚著門框休息，在那一瞬間腳下的地板彷彿往兩側下陷。牆壁變成一片幽黑，她感到一陣天旋地轉，周遭明明都是空氣，她卻喘不過氣，驚懼著自己是否就要陷下去。她看見彷彿遠在天邊的門扉敞開，萊維爾娜就站在那裡，身高看上去只有四吋高。

萊維爾娜是個長了一頭稻草的高䠷女孩。一開門，她立刻捧腹大笑，拍著大腿，彷彿看見史上最好笑的畫面。「那把槍！」她嘶聲說道：「那把槍！你那模樣！」她腳步踉蹌，往後跌坐於沙發上，雙腿高舉過臀，又不由自主跌進沙發一次，發出砰的一聲。

露比看見地板已經恢復原狀，只剩稍微下陷，於是集中精神凝望地面，踏出步伐。她細細盯著屋內一張椅子，小心翼翼踏出腳步，雙腿輪流一前一後，朝椅子的方向走過去。

「你應該去演西部劇！」萊維爾娜．瓦茲說：「太搞笑了！」

露比走向椅子，徐緩地坐上。「閉嘴。」她沙啞地說。

萊維爾娜屁股往前一坐，手指著她，接著又倒回沙發，繼續顚笑。

「你夠了！」露比吼道：「有完沒完！我生病了！」

萊維爾娜站起來，往室內跨出兩、三大步，在露比面前傾身，彷彿望入一個鑰匙孔般，閉起一隻眼注視她的臉龐。「你臉色發紫耶？」她說。

「我就說我病了。」露比瞪視著她。

萊維爾娜站在原地盯著她一秒，接下來手臂交叉，刻意挺出肚皮，來回擺動下盤。「是喔，那你帶那把槍來我這兒幹嘛？槍打哪來的？」她問。

「我不小心坐到的。」露比咕噥。

萊維爾娜站在那，突出下盤左搖右晃，臉上浮現一副了然於心的神情。露比癱在椅子上，凝視自己的腳。室內終於不再打轉，她坐直身體瞪著腳踝。怎會那麼腫！我才不要去看醫生！她心慌意亂。我不去看醫生，打死也不。「我不去，」她開始喃喃：「我才不看醫生，休想……」

「你覺得自己能撐多久？」萊維爾娜低聲喃喃，然後咯咯竊笑。

「我的腳踝浮腫嗎？」露比問。

「就我看來，跟之前差不多啊，」萊維爾娜語畢又往沙發坐下：「胖嘟嘟的。」她將兩隻腳踝靠在抱枕上，輕微轉動，問道：「你覺得這雙鞋如何？」那是一雙蚱蜢綠色的超細跟高跟鞋。

「我總覺得腳很腫，」露比說：「剛才爬最後一段樓梯時，我突然有種非常可怕的感覺，就好像……」

「你要去看醫生了。」

「我才不需要看醫生，」露比含糊地說：「我可以照顧好自己，我一直都很健康。」

「路法斯在家嗎？」

「我不知道。我這輩子竭盡所能，能不去看醫生就不去，我盡量──你要幹嘛？」

「什麼幹嘛？」

「你問路法斯在不在家要幹嘛？」

「路法斯很帥啊，」萊維爾娜說：「我想問他喜不喜歡我的鞋。」

露比打直背脊，凝重臉色紅中帶紫。「爲什麼要問路法斯？」她咆哮：「他只是孩子！」萊維爾娜都三十歲了，「他才不在乎女生的鞋子。」

萊維爾娜坐直，脫下其中一隻鞋，瞥入鞋內：「四十號半。我猜他會喜歡鞋子裡的東西。」

「路法斯不過是小孩！」露比說：「他才沒空看你的腳，根本沒那種美國時間。」

「噢，他時間可多了。」萊維爾娜說。

「是啊。」露比悶悶地說，腦中再次浮現他傻傻空等的畫面，出生前哪裡都不去，只是靜待時機，等著讓老母親日漸衰亡。

「我覺得你的腳踝很浮腫。」萊維爾娜說。

「是啊，」露比說，左右轉動腳踝。「感覺很緊繃。我剛剛爬樓梯時，感覺眞的很可怕，幾乎完全喘不過氣，全身上下都很緊繃，感覺眞的——很可怕。」

「你眞的要去看醫生。」

「不要。」

「你這輩子有去看過醫生嗎？」

「我十歲時曾被揹去看醫生，」露比說：「但最後我還是逃走了。三個人硬壓著我沒啥好處。」

「那次你是生什麼病？」

「你幹嘛用那種模樣看我？」露比咕噥道。

「什麼模樣？」

「那種模樣啊，」露比說：「挺出肚腩左搖右擺的。」

「我只是想問你上次是爲了什麼去看病。」

「我長了癬子。路上有個女黑人教我怎麼處理，我照做，結果癬子就消了。」她癱軟靠在椅子側邊，遙望遠方，彷彿回想起一件輕鬆愜意的往事。

萊維爾娜開始在室內搖擺，跳起滑稽舞步。她的膝蓋彎曲，朝某個方向踏出兩、三步，又折回來，討人厭地朝另一個方向緩慢踢高一隻大腿，轉動眼珠，開始用嘹亮喉音哼起歌：「字母湊在一起，你就拼出『母親』！『母親』！」然後敞開雙臂，一副在舞台上演出歌舞秀的模樣。

露比吐不出一個字，嘴巴張開，嚴厲神色蕩然無存。那半秒鐘內，她動彈不得，緊接著從椅子上跳起來：「我不是！」她吼道：「我才不是！」

萊維爾娜停下動作，用了然的表情注視她。

「我才不是！」露比大喊：「噢，你搞錯了！比爾．希爾他很小心。比爾．希爾一直都很小心！比爾．希爾五年來都很小心！這種事才不會發生在我身上！」

「那麼，我的朋友，四、五個月前老比爾．希爾肯定不夠小心，」萊維爾娜說：「就這麼一個不當心……」

「你根本沒概念，你還沒結婚，還沒有……」

「我猜不只一胎，是兩胎，」萊維爾娜說：「你最好去看個醫生，讓醫生告訴你：你懷了幾胎。」

「才不是！」露比尖叫。自作聰明！根本不知道生病的婦人長怎麼樣，只會看自己的腳，還想要路法斯看她的鞋。請路法斯看她的鞋？他還是個小孩，她都三十四歲了。「路法斯還是小孩！」她高聲抱怨。

「那這樣你就有兩胎了！」萊維爾娜說。

「你給我住嘴，少跟我來這套！」露比大吼：「你立刻閉嘴，我才不會生孩子！」

「哈，哈。」萊維爾娜說。

「我不知道你怎敢自作聰明，」露比說：「明明還單身。要是我單身，才不會對已婚者妄下結論。」

「不只是你的腳踝，」萊維爾娜說：「你全身都浮腫。」

「我才不要留在這裡任你侮辱。」露比說，小心翼翼走到門邊，努力打直身軀，故意不低頭望向腹部。

「那我希望明天你們都會好起來。」萊維爾娜說。

「明天我的心臟應該會好起來，」露比說：「但我希望我們很快就搬家。我有心臟問題，不能爬這麼多階梯，再說，」她不服氣地瞪她一眼：「路法斯才不在乎你的大腳丫。」

「你最好學起那把槍，」萊維爾娜說：「否則怎麼開槍殺人？」

露比甩上門，迅速低頭看了眼自己。她的肚子是很大，但她一直都有小腹在那兒。她沒有挺出肚皮，也沒有挺出身體哪個部位。發福時身材變中廣很正常，比爾·希爾並不介意她發福，他只是原因不明地變得比平時開心。她在腦海中看見比爾·希爾那張喜悅的長臉，笑容一路從眼睛下方延伸到牙齒上緣，一副喜孜孜的模樣。他絕對不可能那麼不當心。她一手往裙子抹了下，感覺裙子變緊了，但這感覺不是很正常嗎？是的。是這件裙子的問題——她穿了一件不常穿的緊身裙，她平常都不穿這件緊身裙，而是寬鬆的那件。但那件裙子現在也沒多寬鬆，但不重要，她只是變胖而已。

她的手指放在腹部，用力壓了下又迅速抽回手。她開始緩步走向樓梯，彷彿腳下地板即將旋轉。她步上樓梯，疼痛立刻回歸，她踏出第一步就感覺到痛。「不，」她哀嚎：「不。」這只是個無足輕重的感覺，沒什麼大不了，像是她體內有某樣東西在翻滾，讓她呼吸時喉嚨一緊。她體內不應該有東西翻滾的。「只要一步，」她輕聲道：「只要一步就好。」不可能是癌症。佐里達太太說最後會好運臨門。她開始啜泣，說：「只要一步就好。」她彷彿自己可以筆直站好般，漫不經心爬起樓梯。走到第六步她忽然坐下，一隻手虛弱地順著手扶欄杆的條柱，滑落地面。

「不，」她說，紅潤圓臉靠著兩根最接近的條柱。她低頭望向樓梯井，發出一聲空洞悠長的嘆息，聲音一路往下傳遞，產生空蕩回聲。樓梯孔洞呈現一片墨綠，幽暗色澤猶如鼴鼠，哭嚎在樓梯最底端迴盪，猶如一個回覆她的聲音。她倒抽一口氣，閉上雙眼。不，不，不可能懷孕的。她才不要某個東西等候她，等她衰老。她才不要。比爾．希爾不可能那麼不小心，他明明說有保證的，一直以來都見效，她不可能懷孕，絕對不可能。她打了一個冷顫，手蓋住嘴，感覺臉部皺了起來：兩個孩子剛出生就死亡，一個才一歲就夭折，一個則像被碾壓過的乾燥黃蘋果。不，她才三十四歲，她老了。佐里達太太說了，最後不會是乾巴巴。佐里達太太說：噢，最後你會好運臨門哦！變遷。她說了最後會是一場美妙的變遷。

她覺得自己冷靜下來了。一分鐘後，感覺自己幾乎完全冷靜下來，心想她也太容易激動了。去他的，全是脹氣害的。佐里達太太不會做出錯誤的預言，她比誰都清楚……

她跳了一下：樓梯井下方傳來一聲砰然巨響，隆隆的震動一路傳上階梯，連她坐著的位置都不禁為之顫動。她的視線穿過手扶欄杆條柱，看見哈特利．吉爾菲特兩手平行，各舉一把手槍，一古腦兒衝上樓梯，隨後聽見樓下傳來另一個聲音：「哈特利，小聲一點！整棟公寓都要震垮了！」可是他當耳邊風，繞過一樓轉彎處時發出更嘹亮的聲響，聲音又一路竄上空洞的樓梯井。她看見賈格先生的門敞開，他跳了出來，乾巴巴的手指捉住哈特利的上衣，哈特利猛力甩開，用高頻嗓門打退他：「放手，你這山羊臭老師！」接著爬到靠近她的地方，她屁股下的樓梯地板震顫，一張栗鼠般的臉孔衝她而來，又猶如火箭般飛越她頭頂，最後縮得越來越小，直到他遁入一片黑暗。

她坐在階梯上，緊抓住手扶欄杆條柱，一點一滴找回呼吸，樓梯感覺起來也不再像翹翹板。她睜開眼睛，低頭凝望那片漆黑空間，一路直通她許久以前開始爬的樓梯底端。「好運臨門，」

她空洞的聲音在樓梯井的每層樓迴盪著：「小寶寶。」

「好運臨門，小寶寶。」這七個字迴盪睨視著。

這下她總算瞭解那陣輕微的翻滾是什麼。簡直不像是在她自己的腹部，而是某樣不知打哪來的東西，靜靜守候著。他有的是時間。

好人難尋

老奶奶不想去佛羅里達州，她想去田納西州東部探望朋友，所以想方設法動搖貝利的心意。和她同住的兒子貝利是獨子，他坐在餐桌前的椅緣，埋頭閱讀日報的橘色體育版。「你快看，貝利。這個，你讀一下，」老奶奶站起來，一手扶在乾扁的臀部上，一手在兒子光禿的頭頂上抖了下報紙。「這個自稱怪胎的傢伙逃出聯邦監獄，目前正前往佛羅里達州。你快讀讀他幹了哪些壞事，看一下，我才不會帶孩子去這種放罪犯逍遙法外的地方，我會良心不安啊。」

貝利的頭抬也沒抬，於是她轉身去找孩子們的媽。這個身穿寬鬆居家褲的年輕女子，無辜寬臉猶如一顆高麗菜，頭上繫著綠色頭巾，頭巾頂端兩個尖點彷彿兔耳。她這時坐在沙發上，餵小嬰兒吃一罐杏桃副食品。老太太說：「孩子去過佛羅里達州了，你們應該帶他們去還沒去過的地方，多多增廣見聞。他們還沒去過田納西州東部。」

孩子的媽一副沒在聽她講話的模樣，反倒是身材矮胖、四眼田雞的八歲孫子約翰．衛斯理說：「如果你不想去佛羅里達州，待在家可以吧？」他和妹妹茱恩．史達正趴在地上看漫畫。

「就算可以當女王，她也是一天都不想待在家。」茱恩．史達的黃毛頭頂抬也不抬。

「沒錯，但要是這個壞蛋怪胎捉到你們，你怎麼辦？」老奶奶問。

「我會賞他幾個耳光。」約翰．衛斯理說。

「就算給她一百萬，她也不會待在家的，」茱恩．史達說：「她很怕錯過，所以不管我們去哪她都要跟。」

「好啊，小姑娘，」老奶奶說：「下次你要我幫忙捲頭髮時，別忘記你剛才說了什麼哦。」

茱恩．史達回道她的頭髮是自然鬈。

翌日，老奶奶頭一個坐進車裡，等待出發。她塞在角落的黑色大手提行李像極了河馬頭顱，行李底下暗藏一只籃子，裝著她的貓咪鼻涕星。她不打算把貓單獨留在家三天，一來是牠會捨不得她，二來是她怕牠掃到瓦斯爐開關，不小心熏死自己。但貝利不喜歡帶貓到汽車旅館。

她坐在後座中央，左右分別坐著約翰．衛斯理和茱恩．史達。貝利和抱著小嬰兒的媽媽坐在前座，他們在上午八點四十五分離開亞特蘭大，汽車里程數是五萬五千八百九十。老奶奶特別記下這個數字，她覺得回到家後計算這趟旅途走了多遠很有意思。他們開了二十分鐘才出城。

老太太舒適妥當地坐好，脫下白色棉質手套，連同手提包一併放在後窗前擱板上。孩子的媽仍穿著寬褲，頭上綁了綠色頭巾，老奶奶卻盛裝打扮，戴了海軍藍的稻草水手帽，白色紫羅蘭花點綴著帽簷，還穿了一件白色水玉海軍藍洋裝，衣領和袖緣皆妝點蟬翼紗蕾絲，並在胸口別了一朵附有香袋的布質紫羅蘭花。要是不幸在高速公路出意外過世，至少大家一眼就能看出她是出身不俗的淑女。

她說這天天氣好，不太熱也不太冷，很適合駕車出遊，然後警告貝利時速不能超過五十五哩，巡警都躲在大型看板後方和小樹叢裡，一旦捉到超速就會立刻衝出來追車。她指出趣味盎然的景色細節：石山、不時湊到高速公路兩旁的藍色花崗岩、布滿紫條紋的鮮紅泥土堤岸……，琳琅滿目的農作物在地面排列成無數雕花圖騰，銀白色陽光曝曬著樹木，被照得最刺眼的樹木閃閃發光。孩子們讀漫畫書，孩子的媽則睡起回籠覺。

「我們快點經過喬治亞州吧，這樣就不用再看到它了。」約翰·衛斯理說。

「如果我是小朋友，絕對不會批評我老家的，」老奶奶說：「田納西州有山脈，喬治亞州有丘陵。」

約翰·衛斯理說：「田納西州只是鄉巴佬垃圾集中場，喬治亞州是個鳥不生蛋的州。」

「中肯。」茱恩·史達說。

「在我那個年代啊，」老奶奶縮起浮著青筋的手指：「小朋友很尊敬自己的老家和父母，那年代的人都很純樸。噢，快看看，那兒有個可愛的黑人小鬼！」她指著一個站在棚屋門外的小黑人。「是不是一幅很美好的畫面？」他們全轉過頭，透過後窗瞥出去。小黑人對他們招招手。

「他沒穿褲子。」茱恩．史達說。

「他可能連褲子都沒有，」老奶奶解釋：「鄉下的小黑鬼沒有我們擁有的物質。如果我有繪畫天賦，就會畫下這個畫面。」

孩子交換漫畫看。

老奶奶說要幫忙抱小嬰兒，於是孩子的媽從前座將嬰兒遞過去。老奶奶在膝上捧著嬰兒，上下輕輕搖晃，對他描述行經風景。她對小嬰兒擠眉扮鬼臉，又把她乾巴巴的粗糙臉孔湊向嬰兒面無表情的滑溜臉龐，小嬰兒不時對她露出不經意的微笑。他們經過一大片棉花田，中央有五、六座被圍欄圈起的墳墓，猶如一座小島。「你們看那座墓園！」老奶奶的手指過去：「老家族的葬身地成了棉花園的一部分。」

「棉花園在哪裡？」約翰．衛斯理問。

「『飄』走了，[1]」老奶奶乾笑：「哈，哈。」

孩子看完他們買的漫畫，遂打開便當吃起來。老奶奶吞下一份花生三明治和一顆橄欖，食用完畢，孩子們想把便當盒和紙巾丟出窗外，她出手制止。由於車上沒事好做，他們便玩起一個遊戲，先由其中一人選一塊雲朵，再讓另外兩人猜那朵雲是什麼。約翰．衛斯理選了一個形狀像母牛的雲朵，茱恩·史達猜是母牛，約翰·衛斯理卻說她猜錯，答案是一部汽車，茱恩·史達說他耍賴，兩人隔著老奶奶拳打腳踢。

老奶奶說只要他們冷靜下來，她就說故事給他們聽。她擠眉弄眼、搖頭晃腦地說起故事，舉手投足充滿戲劇張力。她說，從前從前，她還是青春少女時，曾有個來自喬治亞州賈斯帕的艾德格·亞特金斯·茶園先生在追求她，每週六下午都會帶一顆刻有他的姓名縮寫E.A.T.的西瓜來找她。某個週六下午，茶園先生又帶著西瓜過來，當時家中正好沒人，於是他把西瓜留在前廊，就搭著輕便馬車回賈斯帕了。老奶奶說她從沒拿到過那顆西瓜，因爲有個黑小鬼看到姓名縮寫E.A.T.，就嗑掉西瓜了！這故事正好戳到約翰·衛斯理的笑穴，他咯咯顚笑個不停。茱恩·史達不覺得好笑，還說她絕不會嫁給一個每週六只帶一顆西瓜給她的男人。老奶奶說要是她當初嫁給茶園先生，日子就好過了，因爲他不但是個紳士，還在可口可樂股票剛上市那會兒就買了下來，前幾年過世時家財萬貫。

---

1 老奶奶此處用了雙關。原文 *Gone with the Wind* 同時也是美國文學史上的著名作品《飄》（後改編爲電影《亂世佳人》）的原文書名。

他們在高塔餐廳停下來吃火烤三明治。高塔餐廳位在提莫西郊外的空地，是以灰泥牆和木材建造的加油站兼舞廳，老闆是一名叫作瑞德．山姆．巴茲的胖子。連綿好幾哩的高速公路上，都可以看見張貼上各建築物的廣告招牌：快來吃瑞德．山姆遠近馳名的烤肉。沒人比得上遠近馳名的瑞德．山姆！瑞德．山姆！你笑口常開的胖子朋友！退休老兵山姆！瑞德．山姆就是你的好夥伴！

瑞德．山姆趴在高塔餐廳外的空地，頭縮在貨車底下，一隻一呎高的灰猴被繫在一小株苦楝樹上，在他周圍吱吱喳喳。猴子在看見孩子跳下車，朝牠拔腿奔來時落荒而逃，一下跳到最高的樹梢。

高塔餐廳內部昏暗狹長，一側是櫃檯，另一側排滿餐桌，中央則是舞池。他們在投幣式點唱機旁找了張大桌坐下，瑞德．山姆的太太前來招呼點餐，她的個頭高䠷，頭髮和眼珠顏色比她的小麥膚色要來得淺。孩子的媽投了一枚硬幣，點了一首「田納西華爾滋」，老奶奶說她每次聽到這首歌都忍不住想跳舞，她問貝利想不想跳舞，貝利卻只是瞪視她。她兒子的個性本來就比較陰沉，長途開車更使他精神緊繃。老奶奶的褐眼一亮，開始搖晃起腦袋，一副在椅子上跳起舞來的模樣。茱恩．史達想點一首適合踢踏舞的歌曲，於是孩子的媽投下另一枚硬幣，選了一首快歌，茱恩．史達跑進舞池，跳起她最拿手的踢踏舞。

「好可愛啊，」瑞德．山姆的太太倚在櫃檯上：「你願不願意留下來當我女兒啊？」

「我才不要，」茱恩．史達說：「就算給我一百萬，我也不要住在這種破爛鬼地方！」語畢溜回餐桌。

「好可愛啊。」山姆太太重複這句話，禮貌性地咧嘴笑。

「你丟不丟臉？」老奶奶嘶聲喝斥。

瑞德．山姆步入餐廳，吩咐太太別在櫃檯摸魚，快去幫客人準備餐點。他的卡其褲正好固定在髖骨，大肚腩猶如一包外帶食物般擠在褲頭上方，在上衣底下晃動。他走過來，坐在附近一張餐桌前，發出像是嘆息又像在練唱悠德爾山歌[2]的聲音：「這虧眞的吃大了啊，想翻身都難。」他用一條灰色手帕抹抹汗濕的紅潤臉龐。「世風日下，都不知能相信誰了，您說是吧？」

「可不是，人心不古啊。」老奶奶說。

「上週有兩個人，」瑞德．山姆說：「開了一部克萊斯勒過來，雖然是台破爛老車，但還算

2悠德爾唱法（yodeling），又叫眞假聲互換唱法。源自瑞士、奧地利的阿爾卑斯山區，是早期當地牧民用於呼喚牲口、進行遠距離交流的喊叫聲，以其大跨度音階聞名，衍生爲傳統音樂中一種極具特色的山歌唱法。

是好車。兩人看起來很正常，說他們在磨坊工作，結果我被說服，通融他們賒了油錢，你說我何必如此？」

「因爲你是好人啊！」老奶奶立刻接口。

「是啊，大概吧。」她的回答似乎讓瑞德．山姆有點出乎意料。

這時瑞德．山姆的太太上菜，沒用托盤的她一口氣端來五份餐點，左右手各端兩盤外，手臂上還平衡擺放一個。「上帝創造的世界沒有一個値得相信的人，」她說：「我敢說一個都沒有，完全沒有。」她望著瑞德．山姆重複一次。

老奶奶問：「你有沒有聽說那個越獄犯怪胎的事？」

「要是他沒來攻擊這裡，我也不意外。」他太太說：「要是他聽說過這裡的事，看見他就意外了。要是他聽說櫃檯收銀機只有兩分錢，我不會太驚訝他……」

「別說了，」瑞德．山姆說：「快幫他們送上可口可樂。」太太一溜煙跑去準備剩餘餐點。

瑞德．山姆說：「這年頭好人難找啊，世風日下人心不古。我還記得出門不用扣上紗窗門的日子，現在啊，想都別想。」

他和老奶奶討論起純眞年代。老太太說依她來看，罪魁禍首就是歐洲。歐洲的行事作風很勢利眼，瑞德．山姆認爲她的看法很中肯，切中要害。孩子溜出餐廳，站在熾熱豔陽下，凝望著交織在苦楝樹光影裡的猴子，猴子正忙著捉身上的跳蚤，彷彿人間美味般，用牙齒細細品嚐蝨子。

火傘高張的午後，他們繼續開車上路。老奶奶小睡片刻，每隔幾分鐘就被自己的鼾聲震醒。她在車子開到湯斯伯羅外時醒過來，突然回想起年輕時曾探訪這一帶某座老農園。據她描述，這棟房屋正前方有六根白色立柱，通往宅邸的大道種了兩排橡樹，屋前左右各有兩座小巧的木造格柵花棚，和追求者到庭園散完步後可以到花棚下納涼，她還清楚記得在哪裡轉彎可到達這棟宅邸。她心知肚明貝利絕不會浪費時間找一棟老屋，但她越是講著，就越想再看它一眼，想知道那兩座小花棚是否尚在原處。雖然她也不想說謊，但還是捏造：「屋裡有個祕密鑲板哦，傳說所有家族寶藏都藏在那裡。薛爾曼將軍[3]過來時沒找到……」

「嘿！」約翰．衛斯理說：「我們去看那棟房子！換作是我們一定找得到！戳一戳木板不就找到啦！現在誰住那裡？在哪裡轉彎？爸，我們去好不好？」

「我們從沒看過有祕密鑲板的房子！」茱恩．史達興奮尖叫：「我們現在去有祕密鑲板的房子嘛！爸，帶我們去看那個有祕密鑲板的房子嘛！」

---

3 薛爾曼將軍（William Tecumseh Sherman, 1820-1891），美國南北戰爭時期的著名北軍將領。

「據我所知，我們距離不遠，」老奶奶說：「路程不出二十分鐘。」

貝利直視前方，繃著馬蹄鐵般僵硬的下顎，說：「不行。」

孩子開始大吵大鬧，吵著要看有祕密鑲板的房子。約翰．衛斯理猛踹前座背部，茱恩．史達勾住母親肩頭，在她耳邊大肆抱怨度假一點都不好玩，他們都不能做眞正想做的事。小嬰兒開始嚎啕大哭，約翰．衛斯理補踹一腳前座背部，用力到他老爸都感覺到腎臟被踢了一腳。

「夠了！」他咆哮，將車停在路邊，「全部給我閉嘴！你們能不能安靜下來？再不閉嘴，就哪裡都別想去！」

「這對他們來說是很有意義的一課。」老奶奶含糊地說。

「好吧，」貝利說：「但聽好：僅此一次，下不爲例。之後我們不會再中途改道。」

「你往回開一哩，看到泥土路拐彎就是了，」老奶奶開始導航：「剛才經過時我有看到。」

「泥土路。」貝利咕噥。

汽車回轉後，老奶奶想起房子的其他特徵，諸如前門廊的絢麗玻璃窗，以及走道裡的燭燈。約翰．衛斯理說祕密鑲板可能就藏在壁爐裡。

「你們不能進去房子，」貝利說：「誰曉得現在誰住在裡面。」

「你們在前門和他們講話，然後我衝到屋後爬窗進去。」約翰．衛斯理提議。

「所有人都得待在車裡。」他老媽說。

他們轉入一條泥土路，汽車在捲起的沙塵裡顛簸前進。老奶奶想起還沒鋪路時，三十哩的路程要耗上整整一天。泥土路崎嶇不平，危險路堤表面不時冒出溝渠。他們忽而開上一座丘陵，低頭俯視連綿方圓好幾哩的藍色樹頂，下一分鐘車子又開進紅色低窪，覆蓋一層塵土的樹木全俯視著他們。

「這地方最好馬上像樣點，」貝利說：「不然我就調頭。」

這條路感覺像是數月無人探訪。

「不遠了。」老奶奶說。這句話才說完，一個驚悚感覺湧上心頭。這念頭讓她尷尬到面紅耳赤，她瞳孔放大，兩腳一蹬，不慎踢到擺在角落的旅行袋，旅行袋受到驚動，這下發出一聲齜牙低吼，原本蓋在籃子上方的報紙隆起，只見貓咪鼻涕星跳到貝利肩膀上。

孩子被甩拋到車內地板，抱著嬰兒的媽媽被扔出車門，跌落在地。老太太則被拋到前座，車子翻了一圈，右側朝上跌落進路邊土溝。貝利仍待在駕駛座，灰條紋、寬白臉、橘鼻子的貓咪鼻涕星則猶如毛毛蟲，牢牢黏在他脖子上。

孩子發現手腳可以動了，便踉蹌爬出車子，呼喊著：「我們發生意外了！」老奶奶瑟縮躲在儀表板下，暗自期望自己受傷，貝利就不會把氣全出在她身上。意外發生前，她內心突然湧現一個恐怖想法：其實這棟她記憶猶新的房屋不在喬治亞州，而是田納西州。

貝利兩手並用將貓咪從脖子扯下，扔往車窗外一棵松樹樹幹，然後爬出車尋找孩子的媽。她抱著嚎哭的嬰兒，靠坐在紅土溝裡，幸好她只有肩膀挫傷、臉上出現一道劃傷。「我們發生意外了！」孩子欣喜若狂地尖叫。

「可是沒有人死掉。」聽得出茱恩．史達很失望。這時老奶奶一拐一拐步出車子，她的帽子還在頭上，只有前緣破損，歪斜成時髦瀟灑的角度，胸前的紫羅蘭也歪了。除了孩子，一家人全發著抖坐在溝壑裡，努力平復震驚的心情。

「也許會有其他車子經過。」孩子的媽聲音嘶啞地說。

「我好像內傷了。」老奶奶壓著身側，但無人理會。貝利的牙齒不停打顫，他穿了一件有亮藍色鸚鵡圖樣的黃色運動衫，臉色和上衣一樣黃。老奶奶決定絕口不提房子其實在田納西州這件事。

道路就在山溝頭頂十呎高的地方，從這裡他們只能看見道路另一側的樹梢。他們坐在山溝裡，背後是另一片樹林，林木高聳參天，陰森深沉。幾分鐘後，一段距離外的山坡上出現了一部車，車子行進緩慢，彷彿車裡的人正盯著他們。老奶奶站起來，瘋狂揮舞雙臂，想要吸引他們注意。這部車不疾不徐，繞過轉彎後消失不見，接著又在山坡上冒出來，這下車速放得更慢了，恍若靈車的破舊黑車裡共有三個人。

這台車停在溝壑上方長達幾分鐘，駕駛只是低著頭，面無表情，不發一語，定睛俯視這家人的所在位置。駕駛接著轉頭對另外兩人嘀咕，三人步出車外。一個胖男穿一條黑褲、一件紅色長運動衫，胸前有一隻浮凸銀馬圖案。他繞到受難一家的右邊，站在那裡緊迫盯人，嘴巴微咧，有點像不經意的傻笑。另一人穿著卡其褲、藍色條紋外套，灰色帽子壓得老低，幾乎遮住全臉。他慢悠悠繞到左側，兩人都默不出聲。

駕駛下車後站在車旁，俯視他們。看得出來他比另外兩人年長，頭髮逐漸灰白，戴著銀框眼鏡，讓他散發一股學者氣息。他的馬臉爬滿皺褶，沒有穿上衣或汗衫的模樣，看得出他的藍色牛仔褲過於緊身。他手裡握著一頂黑帽和一把槍，兩個年輕人也有槍。

「我們發生意外了！」孩子尖叫。

老奶奶有股不祥的預感，總覺得這戴眼鏡的男子似曾相識。他長得很眼熟，彷彿她已經認識他一輩子，卻喊不出名字。他移動腳步，兩隻腳穩健踏著堤岸走下來。他穿了一雙棕白色相間的鞋，沒有襪子，腳踝又細又紅。「午安，你們好像不小心摔跤了。」

「我們的車翻了兩圈！」老奶奶說。

「一圈，」他糾正她：「我親眼看見事發經過。席萊姆，去看看他們的車還能不能發動。」

他對頭戴灰帽的男子輕聲說。

「你為什麼有槍？」約翰．衛斯理問：「你拿那把槍要做什麼？」

「太太，」男人對孩子的媽說：「可以叫你的小孩坐到你身邊嗎？小孩讓我精神緊繃。我要你們全坐在一起，別亂動。」

「憑什麼要我們聽你的？」茱恩．史達問。

他們背後的樹林被一陣風掃過，像一張幽暗大嘴倒抽了一口氣。「過來。」孩子的媽說。

「聽我說，」貝利突然開口：「我們出意外了！我們現在……」

老奶奶乍然放聲尖叫。她倉皇站起來，站直後注視著男人：「你是怪胎！我一眼就認出你了！」

男人說：「正是在下，老太太。」他臉上的笑意似有若無，彷彿即使被認出也很高興。「但要是你沒認出我，對你們比較好。」

貝利猛地轉過頭，對他的母親講了句連孩子都嚇傻的話。老太太開始啜泣，怪胎的臉漲紅。

「太太，」他說：「你別太難過。有時男人會口不擇言，我認為他沒那個意思。」

「你不會對淑女開槍吧？」老奶奶說，掏出藏在袖口的乾淨手帕按壓眼睛。

怪胎把鞋頭刺進地面，鑽出一個小孔，又用鞋抹平，說：「我真的千百個不情願。」

老奶奶只差沒尖叫出來：「聽著。我知道你是好人，你跟你的同類南轅北轍。我知道你父母都是好人！」

「說得好，」他說：「他們是世上最好的人。」他微笑時露出一排健康白牙。「我母親是上帝創造過最完美的女人，我父親擁有一顆如黃金般純眞的心。」紅色長運動衫的男子走到他們背後，槍擺在臀部位置佇立著。怪胎往地上一蹲：「巴比·李，看好這幾個孩子。你知道孩子讓我神經緊繃。」眼看這六人在他面前緊緊依偎，似乎讓他很愧疚，彷彿他想不到該說什麼，最後他抬起頭，說：「天空一朵雲也沒有。不見太陽也不見雲。」

「沒錯，今天風和日麗，」老奶奶說。「你聽我說，你不應該自稱怪胎，我知道你其實有顆善心，我一看見你就知道了。」

「安靜！」貝利說：「安靜！全給我住嘴，讓我來處理！」他以跑者姿態蹲踞，彷彿隨時準備起跑，卻一動也不動。

「感謝你的美言，太太。」怪胎說，用槍托在地面勾勒出一個圓形。

「車要半個鐘頭才能修好！」席萊姆在立起的引擎蓋上吆喝。

「這樣啊，那你和巴比·李先帶他去那裡，小男孩也一起。」怪胎一手指向貝利和約翰·衛斯理。「他們想問你幾個問題，」他對貝利說：「你可以跟他們去一下樹林嗎？」

「拜託，」貝利開口：「我們只是發生一場可怕的意外！根本沒人知道發生什麼事。」他語不成調，眼珠跟他上衣的鸚鵡一樣湛藍濃烈，他的身體僵硬不動。

老奶奶伸手調整帽簷，一副準備和他一起去樹林的模樣，但帽子從手心飛走了。她站在那兒凝視帽子，一秒後任由帽子落地。席萊姆扶持老人般拉起貝利胳膊，約翰·衛斯理則握著父親的手，巴比·李跟在他們背後。他們走到樹林的幽暗邊緣時，貝利轉過身，手扶一棵光禿灰黑的松樹樹幹，大吼：「我馬上就回來！媽，你等我！」

「你一定要快點回來！」老母親尖聲大喊，但他們已遁入樹林。

「我的貝利啊！」老奶奶繼續悲涼呼喊，卻發現怪胎正蹲在她對面的地上。她狗急跳牆了：「我知道你是好人。你一點也不壞！」

「不，我不是好人，」彷彿在認真思索她這句話，怪胎過了一秒才回道：「但我也不是世上最壞的人。我爸說我和哥哥姊姊是不同品種的狗，他說：『你知道嗎？有些人生來就不用探詢答案，有些人需要尋找解答，這個孩子屬於後者，他充滿好奇心！』」他戴上黑帽，突然抬頭瞥向樹林深處，彷彿又慚愧起來。「不好意思，我在女士面前衣不蔽體，」他稍微聳肩，解釋道：「我們逃出監獄後埋了囚衣，目前穿的是暫且湊合的衣服，都是向路上碰到的人借來的。」

「不用這麼客氣，」老奶奶說：「也許貝利的行李箱裡有多的上衣。」

「我再自己看看。」怪胎說。

「他們帶他去哪裡？」孩子的媽激動大叫。

「老爹倒也很行，」怪胎說：「根本無法指控他，他也從沒捲入過政府的麻煩裡，很有對付政府的天賦。」

「只要你願意，你也可以是個老實人，」老奶奶說：「你想想，成家立業、過著舒適生活，不用每時每刻擔心被捕，這種人生多麼美好。」

怪胎繼續用槍托刮擦地面，似乎正認眞思考這個問題，然後喃喃道：「是啊，太太，但總有人在追捕你。」

老奶奶站著俯視他，發現他帽子後方的肩胛骨相當纖瘦。她問：「你會禱告嗎？」

他搖搖頭，她只看見黑帽在肩胛骨上左右一搖。「不會。」

樹林傳來一聲槍響，緊接在後又是一發射擊，再來陷入一片靜默。老太太扭過頭，吹拂過樹梢的風聲就好像滿足地吸了長長一口氣。

她喊道：「我的貝利啊！」

「我曾經當過一陣子福音歌手，」怪胎說：「這輩子我什麼都幹過。我當過兵，海軍陸軍都當過，國內國外的軍隊都待過、結過兩次婚、幹過殯葬業、在鐵路公司服務過、種過田、經歷過龍捲風，有次親眼看著一個男人活活被燒死，」他抬頭，望向孩子的媽和小女孩。她們緊緊依偎著，面色慘白，雙眼呆滯。「我甚至看過一個女人遭到鞭打。」

「禱告，禱告，」老奶奶不住碎念：「禱告，禱告……」

「自有印象以來我就不是壞孩子，」怪胎的語氣彷若夢境一般遙遠：「但後來我做錯一件事，被送到感化院。我被活埋了。」他抬起眼緊緊盯著她，讓她無法移開視線。

「你應該從那時就開始禱告，」她說：「你是做了什麼被送到感化院？」

「頭轉向右邊是一面牆，」怪胎又抬頭，望向萬里無雲的青空：「轉向左邊是一面牆，抬頭是天花板，低頭是地板。太太，我也不記得我當初做了些什麼，我坐在那裡，試著回想我做錯什麼，但到今天還是想不起來。我曾經以爲有天我會想起，但這天一直沒有到來。」

「也許是冤罪。」老太太茫然地說。

「不，不是冤罪。白紙黑字證明我有罪。」

她說：「那你一定是偷東西。」

怪胎略顯不屑，冷哼道：「我才不想要別人的東西。有個感化院精神科醫生，指責我殺了我爸，但我知道他是胡言亂語。我爸在一九一九年死於流感，完全跟我無關。他的遺體被葬在霍普威爾山浸信教會墓園，你可以自己去探個究竟。」

「要是你肯禱告，」老奶奶說：「耶穌會幫你的。」

「是啊。」怪胎說。

「那你為何不禱告？」她忽然欣喜顫抖。

他說：「我不需要別人幫我，我自己過得很好。」

巴比·李和席萊姆悠閒地從樹林走回來。巴比·李手上拽了件黃色上衣，上頭有寶藍色鸚鵡圖騰。

「巴比·李，把上衣丟過來。」怪胎說。上衣隔空拋飛過來，最後降落在怪胎肩頭，他套上衣服。老奶奶說不出這件上衣提醒了她什麼。「不是的，太太，」怪胎一邊扣起鈕釦，一邊說：「後來我發現，犯什麼罪根本不重要，做什麼也沒差，你可以殺人、偷輪胎，不用多久就忘了自己的所作所為，之後再為此受罰。」

這時孩子的媽似乎喘不過氣，開始發出沉重喘息聲。「太太，」怪胎問：「你可不可以帶上小女孩，跟著巴比·李和席萊姆過去，和你老公會合？」

「可以，謝謝你。」孩子的媽快要暈厥過去，她的左手臂無助懸空，右手臂上的小寶寶已經睡著。她掙扎著想爬出溝，怪胎吩咐：「席萊姆，過去幫太太一把。巴比·李，你去牽小女孩的手。」

「我不想和他牽手，」茱恩．史達說：「他很像豬。」

胖男滿臉漲紅，接著發出一陣大笑，架起她的胳膊，跟在她母親和席萊姆背後，將小女孩拖往樹林。

這下老奶奶和怪胎獨處，她發現自己已經發不出聲音，舉頭不見雲朵，也不見太陽。除了樹林，四周空無一物。她想建議他禱告，嘴巴開合好幾次卻擠不出一個字，最後她總算說出：「耶穌啊，耶穌……」她本來想說耶穌會幫你，但聽起來卻像咒罵。

「是啊，」怪胎似乎同意，說：「都是耶穌導致秩序大亂。耶穌的命運和我一樣，差別在祂沒有犯罪，他們卻有白紙黑字，可以將罪行加諸於我頭上。當然他們從沒讓我看過證據。這就是爲何現在我都堅持自己簽字。我很久以前說過，決定好自己的簽名，所有文件都親自簽名，再留下一份影印本，這樣就知道自己幹過什麼好事，證實自己眞的是罪有應得，懲罰也吻合罪狀，最後才能證明自己是否無辜。我自稱怪胎，」他說：「是因爲我證明不了我罪有應得。」

樹林傳來一聲劃破空氣的嘶喊尖叫，緊接在後是槍聲。「太太，你覺得只讓某個人承受一堆懲罰，其他人卻不用，這樣公平嗎？」

「天啊！」老太太哭喊：「你是好人！我知道你不會射殺一個淑女的！我知道你來自好家庭！禱告吧！老天，你不能射殺像我這樣的淑女！我的錢全給你！」

「太太，」怪胎的視線越過她，望入樹林：「屍體怎麼可能給送行者小費？」

接著又是兩聲槍響，老奶奶抬起頭，猶如一隻渴望著水的乾枯老火雞，大喊：「我的貝利！我的貝利啊！」彷彿心碎了一地。

「耶穌是唯一能讓死者復生的人。」怪胎續道：「但祂不應該這麼做。秩序都被祂搗亂了，要是祂是守承諾的人，那麼你什麼都不必做，只需拋開雜念，相信祂就對了！要是祂不信守承諾你也沒辦法，只能盡自己所能享受人生最後幾分鐘，你可以殺人放火，或用其他方式傷害對方。爲了傷害而傷害，沒有樂趣可言！」他的語氣幾乎轉爲咆哮。

「也許祂從沒有讓死者復生。」老太太語調含糊，她已經不知所云，頭暈目眩，整個人跌坐在溝裡。

「我不在場，所以不敢說祂沒有，」怪胎說：「我眞希望自己在場。」他用拳頭捶下地面。「我不在場就是不公平，因爲要是我在場，我就會知道了。聽著，太太，」他高聲要求：「要是我在場就會知道，也不會落得今天這個局面！」他幾乎快要語不成調。老奶奶的腦袋突然清醒，男人彷彿快要哭出來的扭曲臉孔近在她眼前，她喃喃道：「你也是我的寶貝。你就像我親生的孩子！」她伸出手，碰觸他的肩膀。怪胎像被蛇咬到般，猛然往後一跳，朝她的胸口連開三槍，完事後把槍放在地面，摘下眼鏡，默默擦拭起鏡片。

席萊姆和巴比．李從樹林走回來，站在土溝上頭，俯視血泊裡半坐半躺的老奶奶。她的雙腳猶如孩子般在身體下交叉，臉孔對著萬里無雲的青空微笑。

脫下眼鏡後，怪胎的眼睛周圍有一圈紅印子，他的臉色顯得蒼白，一副毫無防備的無辜樣。他說：「把她拖去你們處理其他人的地點。」然後抱起正在磨蹭他大腿的貓咪。

「她廢話眞不少，對吧？」巴比．李用猶如悠德爾唱法的宏亮聲音說，順著山溝溜下來。

怪胎說：「要是她活著的時候，每幾秒都有人對她開槍，那她就會是個好女人。」

「太好笑了！」巴比．李說。

「閉嘴，巴比．李。」怪胎說：「人生根本沒有樂趣可言。」

也許你救的是自己

薛夫雷特先生一開始走來時，老太太正和女兒坐在門廊。老太太屁股挪到椅子邊緣微微欠身，一手擱在眼睛上緣，遮蔽刺眼夕陽。女兒看不到前方，仍在逕自玩著手指。雖然老太太和女兒獨居在這般荒涼處所，又與薛夫雷特先生素未謀面，但她大老遠就看得出來他只是一名流浪漢，沒什麼好怕。他捲起外套左側袖子，露出半截僅存胳膊，瘦長身形微微傾向一側，彷彿微風正用力推開他。他身穿一襲黑色外出套裝，頭戴一頂褐色毛氈帽，帽子前後簷皆往上翹，手提一只錫製工具盒。他的神態從容，信步踏上通往她房屋的道路，舉頭面向似乎平衡於小山峰上的太陽。

一直到他即將進入庭院前，老太太一直沒有變換姿勢，直到他即將進入庭院時，她起身，縮起一顆拳頭叉在腰際。這時，身材肥胖、穿著藍色蟬翼紗短洋裝的女兒看見他，興奮地跳起來，跺腳指向他，發出無語的尖叫聲。

薛夫雷特先生在庭院停下腳步，把盒子擱在地上，朝她抬了下帽子致意，彷彿她剛才的激烈反應並不存在，接著轉向老太太摘下帽子。他有一頭油亮黑長髮，扁平地梳成中分頭，順著垂至兩耳上端。他的臉孔從額頭下降，順著五官的部位隆起，最後停在堅挺剛毅的下顎。他看起來年紀很輕，卻散發著看破人間的滄桑，似乎人生曾經歷大風大浪。

「晚安。」老太太開口。她的身材猶如一根西洋杉圍欄樁，一頭如同男人的灰髮低低貼在頭上。

流浪漢沒有回話，止步凝望她。他轉過身面向夕陽，全身上下和那隻短胳膊徐徐晃動，像在示意他就是遼闊天空，身體形狀變成一個帶鉤的十字架。老太太兩手交疊在胸前，彷彿她就是太陽女神，女兒在一旁觀望，頭猛往前伸，圓嘟嘟的雙手軟趴趴垂在手腕上。她有一頭粉金色長髮，眼珠子猶如孔雀頸子般蔚藍。

男人維持這個姿勢近五十秒，最後才提起盒子來到門廊，擱在最底層的階梯上。「太太，」他用堅定的鼻音說：「要是我能住在一個每天旁晚都看得見美麗日落的地方，花多少錢都值得。」

「是每天『傍』晚。」老太太坐回椅子糾正他。女兒也坐下，用好奇詭祕的眼神打量他，彷彿他是一隻飛得很近的鳥。他的重心傾向一側，手插進褲子口袋，掏出一包口香糖請女孩吃。她取過並拆開口香糖包裝，開始咀嚼，仍目不轉睛盯著他。他也拿一條給老太太，但老太太噘起上唇，讓他看見她沒有牙齒。

薛夫雷特先生蒼白銳利的眼神已經掃過庭院裡所有東西——屋子角落附近的水泵，三、四隻雞準備棲息的無花果樹。他的目光瞥向棚屋，看見生鏽的方形汽車後背。他問：「你們會開車嗎？」

「那部車已經十五年沒發動，」老太太說：「自我先生過世那天起就沒再動過。」

「太太，物換星移，這世界即將腐朽。」

「說得對，」老太太說：「你是本地人？」

「我叫湯姆．T．薛夫雷特。」他望著輪胎低聲道。

「很開心認識你，」老太太說：「我叫露西娜爾．克雷特，這是我女兒露西娜爾．克雷特。薛夫雷特先生，請問有何貴幹？」

他猜這部車大概是一九二八或一九二九年份的福特汽車。「太太，」他轉頭，專注地跟她說話：「讓我告訴你一件事。有位亞特蘭大的醫生會用刀割下人類心臟，是的，我說的是人類心臟。」他欠身重複道：「他從男人胸腔取出心臟，放在他的手心，」然後他伸出手，手掌朝上，彷彿正輕輕掂著一顆人類心臟。「然後像觀察出生一天的小雞那般研究它，不過啊，太太，」他意有所指地停一拍，頭往前一擺，泥土色澤的眼睛閃閃發亮：「他對心臟的認識其實並沒有多過你我。」

「是啊。」老太太說。

「就算他拿一把刀，刺入心臟每個角落，對心臟的認識還是跟你我一樣。你想要跟我賭嗎？」

「不想。」老太太明智地說：「你是哪裡人，薛夫雷特先生？」

他沒有回答，只是從口袋掏出一小袋香菸和一包捲菸紙，逕自用一隻手熟練地捲好一根香菸，把菸叼在唇上，再從口袋掏出一盒火柴，挑出一根在鞋上擦出火花。他拿著點亮的火柴棒，像在研究朝他皮膚驚險暴衝的火焰奧祕。女兒開始發出喧嘩，指著他的手，並對他搖搖手指，但他趁火焰碰到前連忙彎身，彷彿想讓鼻子著火般以手蓋住火苗，點燃那根香菸。

他撢掉燒盡的火柴棒，朝傍晚吐出一綹灰煙，臉龐浮現狡猾神色：「太太，現代人什麼都幹得出來，我可以告訴你我叫作湯姆．T．薛夫雷特，來自田納西州塔瓦特，但你之前沒見過我，怎麼知道我沒說謊？你怎麼知道我的名字不是亞倫．史巴克斯？而我其實來自喬治亞州辛格貝里？你怎麼知道我不是喬治．史匹茲，來自阿拉巴馬州露西鎮？你怎麼知道我不是來自密西西比州圖拉福爾斯的湯姆森．布萊特？」

「我確實是對你一無所知。」老太太惱怒地低喃。

「太太，人通常不介意他們說的是哪種謊，也許我頂多只能告訴你我是個男人，但話說回來，」他停頓，刻意讓語調轉為惴惴不安：「男人又是什麼？」

老太太轉移話題，問：「那個錫盒裡裝的是什麼，薛夫雷特先生？」

「工具，」他拖延了會兒，說：「我是木匠。」

「這樣啊，如果你是來工作的，我可以供餐供住，但恕我無法給你酬勞，我先把醜話說在前面。」她說。

他當下沒有回應，臉上也毫無表情，身體倚在撐起門廊屋頂的木樁上，娓娓說道：「太太，有的人在乎的不是錢。」老太太不發一語，身子搖晃著，女兒凝視起在他脖子上下跳動的脈搏。他對老太太說，大多人對錢有興趣，但他想問的是，人究竟爲了什麼而生？他問她，人是爲錢而活嗎？不然是什麼？他問她，她的生存意義是什麼，但她沒有回答，只是坐在那裡輕輕搖晃身體，暗自好奇這個獨臂俠要怎麼幫她蓋花園小屋屋頂。他問了很多問題，她一個都沒有回答。他告訴她今年他二十八歲，人生閱歷豐富，他當過唱詩班歌手、鐵路領班、葬儀社送行者，曾和洛伊叔叔和紅溪牛仔發送三個月的無線電報。他說他曾爲了國家浴血出征，去過許多國家，無論在哪裡，他都看見人們對自己的行爲不以爲意，他說他不是這樣長大的。

一輪黃澄澄的滿月從無花果樹枝間冒出，彷彿準備和雞隻一起歇息。他說男人需要遁入鄉間，增廣見聞，他希望自己也住在這麼荒涼的地方，每天傍晚都這樣觀賞老天一手創造的日落。

「你結婚了沒？還是目前單身？」老太太問。

他沉默許多，最後總算開口：「太太，現在要上哪兒找單純的女人？我不會隨便找個不值得的女人。」

女兒的身體靠在遠處，整張臉幾乎埋在兩膝之間，往前額流瀉的頭髮形成一個三角形縫隙。她透過這道觀景窗凝望他，倏忽在地上跌個四腳朝天，嗚噎起來，薛夫雷特先生連忙扶起她，協助她坐回椅子。

「她是你女兒嗎？」他問。

「我的獨女，」老太太說：「她是全世界最乖巧的女孩，說什麼我都不會將她拱手讓給任何人。她很聰明，會幫忙掃地、煮飯、洗衣、餵雞、鋤草。就算拿一大箱珠寶跟我換，我也不會把她讓給別人。」

「當然，」他溫柔地說：「千萬別讓任何男人帶她走。」

「想追她的男人，」老太太說：「都得留下來。」

黑暗中，薛夫雷特先生定睛凝視遠方閃閃發光的汽車保險桿。他扭著一小截胳膊，像是用胳膊指向她的房屋、庭院、水泵，然後說：「太太，這座農園裡沒有我修不好的東西，雖然我是不稱職的獨臂木匠，但我至少是個男人。」他悶悶的語氣透出尊嚴。「儘管我不是完整的男人，但是，」他指關節輕扣地板，強調接著要說的話意義深重：「我有道德感！」他的臉孔從黑暗竄出，一束門道燈光照耀著他，他凝視著她的表情，像在說連他自己都覺得不可思議。

這番言論並沒有讓老太太爲之動容：「我已經跟你說了，你可以留下來工作，我能供餐。要是不介意的話，就請你睡在那輛車裡。」

「有何不可，太太？」他露出喜悅的憨笑：「古時候的修道士都睡在自己的棺材裡呢！」

老太太說：「他們不像我們這麼先進。」

*

次日早晨，他開始蓋花園小屋屋頂，女兒露西娜爾坐在岩石上注視他工作。他才剛來一週，農園就出現顯著變化。他修好房屋前後的階梯、架起豬圈、修好柵欄，並教導失聰且終生沒說過話的露西娜爾說「鳥」這個字。無論他走到哪裡，這個圓嘟嘟、臉色紅潤的女孩就跟到哪，一邊「尼熬，你奧」地喊著，一邊拍著手。老太太在遠方將一切盡收眼底，暗自竊喜，偷偷渴望著入門女婿。

薛夫雷特先生躺在狹窄堅硬的汽車後座，兩腳伸出側邊窗戶睡覺。他有一把剃刀、一罐水、一只當作床頭櫃的條板箱，並在後窗上擺了一面鏡子，將外套好好掛上衣架，再把衣架掛在其中一扇窗上。

夜裡他坐在台階上聊天，老太太及露西娜爾則坐在他左右兩側的搖椅上搖晃身子。老太太的三座山在深藍夜空的襯托下顯得漆黑，數之不盡的星點和離雞群遠去的月亮一下上山，一下又下了山。薛夫雷特先生指出他想改造農園的原因，是因爲他對它感興趣，他還說要修好汽車。

他掀起引擎蓋，研究汽車機制，說他看得出這部車是在汽車的黃金年代製造。他說現在的汽車工業都找一個人專門鎖一顆螺栓，第二個人鎖第二顆，第三個人鎖第三顆，所以每個人只負責一顆螺栓，這就是爲何現在汽車價格不菲，因爲錢都拿來付給工人了。但要是只付錢給一個人，汽車就不會那麼貴，找一個願意爲車子多花心思的人，這部車就會好上加好。老太太同意他的說法。

薛夫雷特先生說，世界最大的問題就是沒人肯用心，也不願停下腳步，扛下責任。他說，要是他不肯用心，也不願停下腳步，就一個字也無法教會露西娜爾。

「你教她說點別的吧。」老太太說。

「你想要她講什麼？」薛夫雷特先生問。

老太太露出無齒燦笑，語帶暗示地說：「你可以教她說『小寶貝』。」

薛夫雷特先生已經看出她想打什麼如意算盤。

隔天他開始修理那部車，當天晚上他告訴老太太可以買風扇皮帶[1]，汽車已經可以發動了。

老太太說她會再給他錢。「你看見那個女孩了嗎？」她手指向露西娜爾。露西娜爾坐在一呎外的地板上凝視他，即使夜色朦朧，她的眼眸依舊湛藍。「如果有男人想帶走她，我會對他說：『誰都別想奪走我可愛的女兒！』不過要是他說：『太太，我不想帶她走，我只想和她在這裡共度餘生。』我會說：『先生，我不怪你。換作是我，也不會錯過這等好機會，不僅可以安居樂業，還能娶到世上最可愛的女孩，我也知道你不是傻瓜。』」

「她幾歲了？」薛夫雷特先生隨口問問。

「十五、十六歲。」老太太說。其實女孩已年近三十，但她的純眞讓人猜不透實際年齡。

「再漆個顏色也不錯，」薛夫雷特先生說：「你不會希望汽車生鏽的。」

「再說吧。」老太太說。

隔日他進城，帶著所需零件和一桶汽油回來。傍晚棚屋裡傳來劇烈喧囂，老太太衝出屋子，以爲露西娜爾發作了。露西娜爾正坐在雞箱上，蹬著腳尖大喊：「尼熬！尼熬！」汽車發出的聲響淹沒了她的叫聲。隨著一連串炸裂聲，汽車從棚屋裡勇猛華麗地登場了。薛夫雷特先生挺直背部坐在駕駛座，帶著嚴肅謙遜的神情，彷彿他方才讓死者復生。

---

1 風扇皮帶（fan belts），汽車內部風扇馬達的零件之一。

當晚老太太在門廊搖椅上晃著，開門見山地說：「你說過想要娶單純的女人，對吧？」她充滿同情心地說：「你說不想娶隨隨便便的女人。」

「沒錯，我不想這麼做。」薛夫雷特先生說。

老太太繼續道：「一個不會說話的女人，不會頂嘴，也不會出言不遜。這就是你想要的女人，她就在那裡。」她指著在椅子上盤起腿、兩手捉住腳的露西娜爾。

他承認：「沒錯，她確實不會找我麻煩。」

老太太說：「週六這天，我們三人可以開車到城裡，你們倆結婚。」

薛夫雷特先生在台階上換了個姿勢。

「我還不能結婚，」他說：「你想要我做的事全要花錢，而我現在沒錢。」

她問：「你需要錢做什麼？」

他說：「結婚需要錢。當然現代人什麼都能做，不過我個人是這麼想的，要是不能對她好，帶她出門，我就沒資格娶她。我說的是帶她住好飯店，以及請她吃頓飯。若要我娶溫莎公爵夫人，」他語氣堅定地說：「我就要有能力帶她住好的吃好的。

「這就是我從小學到的觀念，我也無能爲力，是我老母親教我的。」

「露西娜爾連飯店是什麼都不曉得。」老太太喃喃低語：「薛夫雷特先生，你聽著，」她的身體挪到搖椅前端：「你會有固定居所、一口深井、全世界最單純的女孩，所以你並不需要錢。我告訴你現實吧：沒有地方容得下一個居無定所又無親無故的可憐殘廢。」

這段殘酷的話語猶如一群在樹梢棲息的禿鷲，在他心底扎根。他並未立刻接話，只是捲了一根香菸，點燃，接著才用不帶感情的語氣說：「太太，男人有兩個部分：身體與心靈。」

老太太咬緊兩排牙齦。

「我是說身體與心靈，」他重複一遍。「太太，身體就像一棟房屋，跑不了。但心靈卻像一部汽車，無時無刻不在奔馳，停都停不下來……」

她說：「薛夫雷特先生，你聽好了。我的井水不曾乾涸，冬天時房屋也很溫暖，不需要你煩惱房貸，你大可去縣府大樓查個清楚。再說那間棚屋裡還有一部好車。」她謹慎布下誘餌：「你週六前可以粉刷汽車，錢我來出。」

黑暗中，薛夫雷特先生的笑容猶如一條倦怠的蛇，被篝火驚醒，緩緩蛇行。一秒後他才想起來要接話，說：「我只是說男人的靈魂對他而言比什麼都重要。我週末得帶老婆出遊，並且不必擔心開銷。我得聽從我的心。」

「你們週末出遊時，我可以給你十五美元，」老太太執拗地說：「我只給得起這麼多。」

他說：「這筆錢只夠付油錢和飯店，連餵她吃一頓都不夠。」

「十七塊五毛。」老太太說：「我眞的只有這麼多，你再勒索我也沒用，你們中午可以帶便當。」

「勒索」兩個字讓薛夫雷特先生感到受傷，他非常篤定她肯定將一大筆錢縫在床墊底下，但他已經說過對她的錢不感興趣，覆水難收。「我再看著辦。」語畢他起身離開，沒再繼續和她磨蹭。

週六油漆未乾，他們三人已經驅車到鎭上，薛夫雷特先生和露西娜爾在法官辦公室結婚，老太太當證人。步出縣府大樓後，薛夫雷特先生開始扭動衣領下的頸子，一臉陰鬱刻薄，彷彿拘留時蒙受侮辱。他說：「這對我有何意義？不過是文書小姐的工作，在文件上簽字、抽檢血液。他們抽我的血想知道什麼？要是他們直接取出切下我的心臟，對我也一無所知。對我一點意義也沒有。」

老太太尖銳地說：「但是對法律有意義。」

「法律，」薛夫雷特先生說：「法律是我認爲最沒意義的東西。」

他把汽車漆成墨綠色，車窗下粉刷一段環繞車身的黃色油漆。三人爬進汽車前座，老太太說：「露西娜爾是不是很漂亮？好像洋娃娃。」露西娜爾穿著老太太從大皮箱裡撈出的純白洋裝，頭上戴了頂帽簷點綴著木製紅櫻桃的巴拿馬帽。像是腦海中突然冒出某個詭譎遙想，她原本溫和的表情驟變，猶如一株從沙漠冒出的嫩青芽。老太太說：「你中大獎囉！」

薛夫雷特先生連一眼都懶得看。

他們開車回到家，放老太太下車，拿了午餐後便準備出發。老太太佇立凝望著車窗，手指緊捉玻璃窗不放，眼角開始淌下淚水，順著她臉龐的骯髒皺摺簌簌滾落。她說：「我這輩子從沒和她分開過兩天這麼久。」

薛夫雷特先生發動引擎。

「我相信你是正直的好人，否則才不會隨便將她嫁給任何男人。再見了，我的心肝寶貝。」她說，抓住露西娜爾雪白洋裝的衣袖。露西娜爾的雙眼凝視她，卻一副沒看見她的樣子。薛夫雷特先生的車緩緩向前滑動，老太太這才不得不鬆手。

正午過後，天空一片清朗無雲，淡藍色天空包圍住他們。雖然車子時速僅有三十哩，但薛夫雷特先生專注在艱難的爬坡、下坡、轉彎，早已忘光上午的尖酸苦澀。他一直想要汽車，但之前完全買不起。他想在夜幕低垂前抵達摩比港市，於是行駛速度異常飛快。

他偶爾陷入一片空白思緒，望向坐在隔壁的露西娜爾。剛上路不久她就吃了午餐，現在正一顆顆拔下帽子上的櫻桃，拋出窗外。即使有車，他還是不由得感到沮喪。上路尚未滿一百哩，但他猜想露西娜爾肯定又餓了，於是決定在下一座小鎮休息。他把車停在一間粉刷鋁漆、名叫熱點的餐廳門外，幫她點了一份火腿和玉米粥。舟車勞頓令她昏昏欲睡，她一坐上餐廳椅凳，就立刻將頭靠在櫃台上合眼休息。除了薛夫雷特先生和櫃台後方的男服務生，熱點餐廳內空無一人。男服務生是名肩上掛了條油膩抹布的蒼白年輕人，菜都還沒端上，露西娜爾就已經打起低沉鼾聲。

「她醒來後再上菜，」薛夫雷特先生說：「我先結帳。」

男孩彎腰盯著她的粉金色長髮和半合睡眼，抬頭望向薛夫雷特先生，喃喃道：「她好像上帝的小天使。」

「搭便車的。」薛夫雷特先生解釋：「我等不了了，得先趕去塔斯卡盧薩。」

男孩再度彎腰，用手指小心翼翼觸摸她一綹金髮。薛夫雷特先生轉身離去。

獨自開車時，他的心情低落到谷底。傍晚氣溫上升悶熱，大地平坦無奇。暴風雨正在高空深處徐徐醞釀，卻未發出絲毫雷鳴，彷彿它正準備榨乾地表每一絲空氣，才肯善罷甘休打雷下來。有好幾度薛夫雷特先生都情願自己不是獨自一人，他總覺得開車的人有載人的義務，於是隨時留意想搭便車的人。他不時行經諸如此類的警告標語：「謹慎行車，你救的可能是自己。」

狹窄道路的兩側陡降成乾涸原野，林地中央偶爾冒出一間簡陋木屋或加油站。太陽在車子正前方逐漸降落，猶如一顆火熱紅球，從擋風玻璃內看出去，太陽上下兩端顯得扁平。他看見一個穿著連身褲裝、頭戴灰帽的男孩站在路邊，於是刻意放慢車速，停在他面前。男孩沒有舉手要求搭便車，只是呆立在那，但他提著一卡行李箱，戴著帽子的模樣說明他打算離開，並且不再回頭。

「孩子，」薛夫雷特先生問：「你要搭便車嗎？」

男孩不動聲色，打開車門逕自坐上車，薛夫雷特先生繼續開車。男孩把行李擱在膝上，雙臂環抱住他，轉頭望向窗外，故意不看薛夫雷特先生。薛夫雷特先生感到一股壓迫，一分鐘後他開口：「孩子，我老媽是世上最棒的媽媽，我猜你老媽最多只是世界第二棒吧？」

男孩目光陰沉地瞄了他一眼，接著轉過頭望向窗外。

薛夫雷特先生繼續道：「當一個小男孩的老媽眞是最美好的一件事。她將他捧在膝上教他第一次禱告，給他誰都給不了的愛，教他是非對錯，並見證他行善積德。孩子啊，除了離開老母親的那一天，我這輩子從來不曾悔恨難過。」

男孩在座位上不安蠕動，卻未看向薛夫雷特先生。他鬆開環抱的雙臂，一手摸著門把。

「我母親簡直是上帝派來的天使，」薛夫雷特先生聲調緊繃地說：「祂從天堂派她到人間，把她送給我，而我卻離開了她。」話語至此，他淚眼婆娑，車速將近靜止。

男孩憤怒地從副駕駛座轉頭，狂吼：「你去見惡魔吧！我老媽是個爛人！你老媽是臭氣沖天的臭鼬！」話一說完他推開車門，抱著行李縱身跳入陰溝。

薛夫雷特先生震驚到久久不能自已，長達一百呎的路程任由車門大開，時速緩慢。一朵與男孩帽子同色調、形如蕪菁的雲朵，已凌駕於太陽上方，另一朵模樣更陰險的雲在車後蟄伏。薛夫雷特先生感覺世間的腐敗就快要吞噬他，於是舉起一隻手，垂至胸前，開始禱告：「噢，上帝！請快讓大雨降臨，洗刷大地的汙穢吧！」

蕪菁形狀的雲朵持續緩緩逼近。幾分鐘後，後方傳來宏亮狂放的雷聲，驟雨猛烈落下，彷若砸下來的不是雨水，而是大量罐頭錫蓋，哐啷哐啷地擊打著薛夫雷特先生的車尾。他急速踩下油門，餘肢探出窗外，在奔騰的滂沱大雨中加速前行，俯衝進入摩比港市。

冒牌黑人

海德先生醒來，發現室內月光傾瀉一地。他坐起來，凝視著地板上的銀色月光，接著又望向枕頭上的條紋棉布和錦緞。一秒後他看見半顆月亮凝止在五呎外的剃鬍鏡裡，彷彿正等候他讓它進門。月亮往前逼近，高貴月光灑落萬物。牆邊的直背椅僵直且專注，彷彿正在靜候指令；海德先生那件披掛於椅背上的長褲則有一股近乎尊貴高雅的氣息，像是大人物隨手丟給僕人的衣服。月娘的臉龐嚴峻不已，凝望著室內的同時，目光也觸及它懸浮的窗外馬廄上空，陷入沉思的神色儼然像是預見衰老在即的年輕人。

海德先生想對它說，歲數是一種上好祝福，唯有年歲增長，男人方可靜心領會人生，成為年輕人的表率，至少就他的個人經驗是說得通的。

他捉住床尾的鐵柱坐起來，挺直背部，瞥見椅邊那個倒扣水桶上的鬧鐘也把臉孔對著他。現在是凌晨兩點，鬧鐘已經不會響了，不過他也不是需要機械設備才起得了床的人。六十年的人生經歷並未讓他變得遲鈍，跟他的道德反應一樣，他的意志力和堅強性格主宰他的身體反應，這點從他的五官一眼就看得出。海德先生有一張如軟管般的長臉、圓潤修長的寬闊下顎、扁長鼻子。他的眼神警醒卻沉靜，在奇蹟般的月光下散發一股沉著的古老智慧，彷彿某個偉大領袖的眼睛。說不定他就是半夜被召喚去見但丁的維吉爾[1]，甚至是被上帝光輝喚醒而飛到多俾亞身邊的大天使拉斐爾[2]。室內唯一黯淡無光的地方，就是尼爾森的貨板。

尼爾森弓著身子側躺，膝蓋縮在下巴處，腳跟收在臀部下。他那套煥然一新的西裝和帽子就擺在最初運送的箱子裡，箱子放在貨板後方，他只要一起床就搆得到。不在陰影處的小便缸在月色下散發雪白光澤，猶如他專屬的小天使，在貨板後方站崗，守衛著他。海德先生躺回床上，對於翌晨能否完成的道德任務，也就是比尼爾森早起，他感到信心滿滿——等到尼爾森醒來，早餐已經在鍋子裡沸騰。只要海德先生比他早起，男孩總會懊惱不已。為了在五點三十分抵達鐵路岔軌處，他們四點就得出門。火車會在五點四十五分停在那兒，他們必須準時到達，因為這班列車是特別為了他們停下的。

這是男孩首次進城，但他堅持是第二次，因為他在那裡出生。海德先生特別指出，他出生時還懵懵懂懂，無法決定自己的環境。這孩子聽不進去，堅稱這是他第二次進城。這是海德先生的第三次，對此尼爾森說：「我才十歲就去過兩次呢。」

海德先生出言反駁。

「要是你十五年後才又進城，怎麼認路？」尼爾森問：「你怎麼知道城裡沒有改變？」

海德先生反問：「你什麼時候看過我迷路了？」

尼爾森當然沒看過他迷路，但他是非要頂嘴，否則不善罷甘休的小鬼，於是他回嘴：「在這種地方哪有可能迷路。」

海德先生預言：「你有一天會發現，你沒有自己想的那麼聰明。」他爲了這次外出遠行思索數月，但他心裡想的是道德教訓。這趟遠行必須是讓男孩永生難忘的一課，他要男孩明白：出生在城市沒什麼好驕傲的，他終究會發現城市不是什麼好地方。海德先生要他好好認識城市，好讓他餘生都心甘情願待在家。他內心想著男孩終將發現他沒有自己想的聰明，隨後再度墜入夢鄉。

三點三十分，香煎醃肉的聲音驚醒他，他旋即跳下床。貨板一片空蕩，裝衣服的箱子已經敞開。他連忙套上長褲，衝進隔壁房間，男孩正在煮玉米麵包，肉也已經煎好。他坐在餐桌前的一半陰影中，喝著罐裝冷咖啡，身上穿著一套嶄新西裝，同樣全新的灰帽低低壓在眼皮上。這頂帽

---

1 典故出自但丁《神曲》。但丁將古羅馬詩人維吉爾召喚至身邊，陪同他遊覽地獄及煉獄，並將之視爲人生導師。

2 典故出自天主教經典《舊約．多俾亞傳》。上帝命大天使拉斐爾至多俾亞身邊，驅離其未婚妻身上的惡魔。

子在他頭上顯得太大，但他們知道他可能還會長大，因此刻意選購大一號的尺寸。男孩默不吭聲，但渾身上下都散發一股洋洋得意的氣息，似乎很滿意自己比海德先生早起。

海德先生走近爐灶，將長柄煎鍋裡的醃豬肉端到餐桌，說：「你用不著那麼猴急，很快就到的，我也無法保證你一定會喜歡那裡。」接著一屁股坐在男孩對面，男孩的帽子慢慢往後晃動，露出一張面無表情的臉孔，臉型與海德先生簡直是一個模子印出來的。他們雖然是祖孫，看起來卻像年齡相仿的兄弟，因爲日光下的海德先生顯得神情靑澀，男孩則一副老成，彷彿他早歷經風霜，恨不得忘卻過往雲煙。

海德先生曾有一個妻子及女兒，妻子過世後，女兒逃家，過了一段時間她帶著尼爾森歸來。某天早晨她再也沒有起床，僅留下一歲兒子讓海德先生獨自撫養。要怪就怪他自己，當初不該告訴尼爾森他是在亞特蘭大出生的。要是當初沒告訴他，尼爾森就不會堅持這是他第二次進城。

「你很可能一點也不喜歡那裡，」海德先生道：「城裡淨是黑人。」

男孩裝出一個表情，像在說他搞得定黑人。

「是啊，」海德先生說：「你連一個黑人都沒見過呢。」

尼爾森說：「你今早起得很晚哦。」

海德先生重複：「你連一個黑人都沒見過。因爲我們十二年前已經趕走黑人，當時你都還沒出生呢。」他表情挑釁地瞅著男孩，看他還敢不敢說他見過黑人。

「你怎麼知道我住在那裡時沒見過黑人？」尼爾森問：「說不定我見過很多黑人。」

「就算你見過黑人，也不會知道他是黑人，」這下海德先生惱火了：「因爲六個月大的嬰兒根本不會分辨黑人白人。」

「我敢說要是我看見黑人，會知道的。」男孩嘴硬道，起身調整好他俐落翹起的灰帽，走到外面的廁所。

他們在列車到站前率先抵達目的，站在第一排鐵軌外兩呎處。海德先生帶了一個裝有餅乾和一盒沙丁魚的午餐紙袋。蒼茫橘色太陽從東方山巒後方冉冉升起，他們身後的天空呈現一片黯淡猩紅，眼前卻仍舊滿是灰濛，他們正面迎接透亮的灰白色月亮，色澤淺淡得猶如一枚拇指指紋，黯淡無光。小型錫製配電櫃和黑色油箱就是他們已經到達上車地點的唯一證明，到了林地兩端後方的轉彎處，兩條雙向鐵軌才重新匯合。行經列車猶如從樹林隧道裡竄出，冷冽空氣撲襲而來，短短一秒後列車又抖縮著遁入樹林。海德先生特別和票務人員談妥，請這班列車在此停靠，他暗自煩心著要是列車不依預期靠站，尼爾森肯定會酸言酸語：「我早就知道列車不可能特地爲你停下。」在毫無用武之地的月光底下，鐵軌顯得蒼白脆弱。老男人和小男孩盯著正前方，彷彿等待即將出沒的鬼魂。

就在海德先生決定回頭的當下，說時遲那時快，遠方傳來一陣深沉鳴笛聲，列車節奏遲緩地滑行現身，沿著軌道，幾乎靜悄悄繞過兩百碼外的樹林彎道，列車前燈閃著黃光。這時海德先生仍不確定列車是否眞會停下，他覺得要是列車只是行駛比較緩慢，他恐怕只是讓自己出了大糗。不過他和尼爾森都已經做好心理準備，要是列車不停靠，他們就不理會這班車了。

引擎持續加速，他們的鼻腔裡注滿熾熱金屬氣味，接著第二車廂停在他們駐足的位置，一名面容猶如老鬥牛犬般浮腫的列車長站在台階上，似乎正在等候他們，卻一副根本不在乎他們是否上車的表情。他說：「右側上車。」

他們不消半秒就上車，一步入寧靜車廂，列車便開始加速。大多乘客仍沉浸在夢鄉，其中幾人的頭掛在座椅扶手外，有的人佔據兩張座椅，有的人則把腳伸長跨放在走道上。海德先生發現兩個空位，遂一把將尼爾森推過去。「去窗邊的位置，」他用正常音量講話，在清晨時分顯得異常大聲：「沒人會管你坐哪，位置是空的。你坐那裡。」

「我聽到了，」男孩含糊地說：「你用不著大吼。」他坐下，臉轉向玻璃窗。看見一張鬼魅般的煞白臉孔，正在同樣鬼魅一般刷白的帽簷底下沉著臉瞪他。他的外公也迅速張望一眼，瞥見另一個鬼魂，黑帽底下的臉色雖然蒼白，卻咧嘴而笑。

海德先生就定位，好好安頓完自己，接著掏出車票，大聲朗讀車票上的文字。乘客開始翻來覆去，幾個被吵醒的人瞪了他一眼。「脫帽啊！」他對尼爾森說，隨卽脫下自己的帽子擱在膝上。他有一小撮白髮，經年累月下來已經變成香菸色調，平坦貼在後腦勺，他的頭頂已經禿了，爬滿皺褶。尼爾森脫帽，也放在膝上，等著列車長過來查票。

走道對面的男人橫跨兩個座位，兩隻腳抬放在窗上，頭探出走道。他穿著一身淺藍色西裝，黃色襯衫在領口處敞開，他的眼睛才剛睜開。海德先生已經準備好一套自我介紹，就在這時，列車長自後方走過來，嚷嚷：「查票！」

列車長離開後，海德先生將回程票遞給尼爾森，說：「收在口袋裡，別弄丟了，否則你只能留在城裡。」

「也許我會留在城裡。」尼爾森的口氣彷彿贊成這個建議。

海德先生故意充耳不聞，「這男孩是第一次搭火車。」他向走道對面的男人解釋，男人已經在座位邊緣打直背脊，兩腳踏放於地。

尼爾森再次扭了下帽子，生著悶氣轉頭面向窗戶。

海德先生話還沒完：「他很多事都沒見識過，跟小嬰兒一樣單純，所以我準備帶他去探索外面的世界。」

男孩身體向前一彎，跨越外公對陌生人說：「我是在城裡出生的。那裡是我的出生地，所以這是我第二次去了。」他用自信滿滿的高音說，但對面走道的陌生人眼袋掛著深深的青紫色眼圈，一副有聽沒有懂的表情。

海德先生跨過走道，拍了拍他的胳臂，滿臉睿智地說：「養育男孩的方法，就是帶他領略萬物，千萬別對他隱藏。」

「沒錯，」男人回道，低頭望向自己腫脹的腳，左腳從地板上抬起約莫十英吋，一分鐘後他放下腳，抬起另一隻。整部車廂的人漸漸甦醒，蠕動著身體，又是打呵欠，又是伸展四肢。人聲開始此起彼落，最後化爲普通的嗡鳴。但就在那一瞬間，海德先生原本穩重的神情突然出現變化。他的嘴巴幾乎完全合上，一束強烈慎重的光線射入眼底。他張望車廂，接著頭也沒回捉住尼爾森的胳膊，將他拉向前面，說：「你瞧。」

一個壯碩高大的咖啡膚色男人緩步前進，他穿了件淡色系西裝，打著一條黃色緞料領帶，還別上一只朱紅色別針，一隻手擺在扣起外套底下莊嚴隆起的腹部，另一手則拄著黑色拐杖，每向前踏出一步，他就煞有其事地舉起並放下拐杖。他的動作十分遲緩，碩大的褐色眼珠掃視過每位乘客的腦袋瓜。他蓄著白色小鬍子，白髮微微鬈曲。他身後有兩個咖啡膚色的年輕女子，其中一位身穿一套黃色洋裝，另一位則是綠色。她們照著他的步調跟在他背後，以低沉喉音輕聲交談。

海德先生的手仍然緊捉住尼爾森的胳膊。這三人行經他們身邊時，舉起拐杖的棕色手指上有一枚藍寶石戒，朝海德先生的眼睛折射出光線，但海德先生沒有抬頭，體型龐大的男人也沒有低頭看他。這三人繼續在走道行進，直到離開車廂。這時海德先生鬆開他捏住尼爾森胳膊的手，問：「你剛才看到了什麼？」

「一個男人。」尼爾森說，抛給他一個憤慨眼神，彷彿受夠海德先生老是羞辱他的智商。

「什麼樣的男人？」海德先生語氣堅定，不帶情緒。

「胖男人。」尼爾森說。他開始警覺，回答或許應該謹慎。

「你不知道他是哪一種人？」海德先生用「這是最後一次機會」的口吻問他。

「老人。」男孩回答，預感撲襲而來，他感覺這天恐怕不會太好過。

「那是一個黑人。」語畢，海德先生往後一坐。

尼爾森從座位上跳起來，回頭張望車廂，但黑人已經不見。

海德先生趁勝追擊：「我以為你知道黑人長怎樣，你第一次入城時不是看過很多黑人嗎？剛剛那是他這輩子見到的第一個黑人。」他稟報走道對面的男人。

男孩滑回座位。「你說他們是黑人。」他的聲音滿是怒氣：「你又沒說他們是褐色的，要是你一開始給我的情報就是錯的，我怎麼可能知道？」

「我說你這小子就是無知。」海德先生說。他起身換位子，坐到走道對面那位先生旁的空位。

尼爾森又轉過頭，張望黑人已經消失不見的走道。他總覺得黑人走過他們的車廂，目的就是侮辱他，於是內心燃起煥然一新的強烈恨意，這下他理解爲何外公不喜歡他們了。他瞥出窗外，映照在窗上的那張臉孔似乎在暗示他，他恐怕無法應付這一天。他不免納悶，說不定他們抵達城市時，他還分不出那是亞特蘭大。

分享完幾則故事後，海德先生發現他正攀談的先生已經睡著，於是起身，要尼爾森在車廂裡晃悠，參觀列車內部。他尤其想讓男孩看廁所，於是他們先進了男廁，參觀抽水馬桶。海德先生示範怎麼使用水冷卻機，講得像是他發明的，然後讓尼爾森看可供旅客刷牙、只有一個水龍頭的洗臉盆。最後他們穿越幾節車廂，來到餐車內。

餐車是全列車上最優雅的一節車廂，粉刷上濃郁的蛋黃色，地上鋪有酒紅色地毯。餐桌旁皆有扇寬闊大窗，瞬息萬變的窗景猶如縮小圖，映照在咖啡壺身和玻璃杯側。三個膚色深黑、穿著白色套裝及圍裙的黑人正在走道來回奔走，揮著餐盤，對著吃早餐的旅客彎腰低頭。其中一人快步走向海德先生和尼爾森，舉起兩根指頭，說：「兩人帶位！」但海德先生用響亮嗓門回應：「我們出發前吃過了！」

服務生的大框褐色眼鏡放大了他的眼白，說：「那麼請不要擋在走道中央。」說話同時，不經意揮舞一隻手臂，很像在趕蒼蠅。

尼爾森和海德先生寸步不讓。海德先生說：「你看那裡。」最靠近他們的角落有兩張餐桌，以番紅花色調的簾幕區隔開來。其中一張桌子已經擺設完畢，但空無一人，另一張面對他們的餐桌則坐了先前看見的那個龐大黑人，他背向簾幕，語調輕柔地對那兩個女人說話，同時給馬芬糕抹上奶油。他的臉孔沉重哀傷，脖子於衣領兩側突出。海德先生解釋：「他們特別用繩索區隔他們。」接著又說：「我們去看廚房。」他們通過餐車走道，但黑人服務生迅速走到他們身後。

「乘客不得進入廚房！」他語調傲慢地宣布：「乘客不得進入廚房！」

海德先生停下腳步，轉過身：「我知道原因，」他對著黑人胸口大聲嚷嚷：「因爲蟑螂會嚇跑乘客！」

所有旅客都爆笑出聲，海德先生和尼爾森帶著大大的笑容離開。在老家，海德先生最爲人所知的就是他的機智，尼爾森忽然間對外公感到驕傲不已。他明白他們抵達異鄉後，老先生會是他唯一的依靠。期待又害怕的感受讓他不禁顫抖，他想捉住海德先生的外套，就像個孩子般緊緊依偎他。

等到返回座位，他們看著閃逝而過的窗外風景，鄉間風光已經變成布滿小房屋和棚屋的景色，列車旁還有一條快速道路。迷你飛速的汽車奔馳而過，尼爾森覺得空氣比三十分鐘前稀薄。

走道對面的男人已經離開，附近沒人可以和海德先生聊天，於是他透過自己的倒影望出窗外，大聲朗讀宣布行經建築上的文字：「迪克西化學公司！南方姑娘麵粉！迪克西門窗！南方美麗棉製品！派蒂的花生醬！南方老媽蔗糖漿！」

「別吵！」尼爾森嘶聲低喊。

車廂的旅客紛紛起身，從頭頂行李架取下大包小包。女人們穿上外套和帽子，列車長把頭探出車廂，嘶吼：「即將抵達第一站！」原本坐得好好的尼爾森突然往前一撲，渾身顫抖，海德先生連忙壓住他的肩膀。

「坐下，」他用莊嚴的口吻說：「第一站還是郊區，第二站才是火車總站。」因爲他先前有下錯車的經驗，所以知道第一站不是目的地。第一次前往亞特蘭大時，他曾在第一站下車，結果得付十五美分請人送他到市中心。尼爾森臉色慘白坐回位置，這是他人生第一次體會到外公對他的重要性。

列車停駛，零星幾個乘客下車，接著列車又像從沒停止移動般繼續滑行。車外好幾排東倒西歪的棕色房屋後方，只有一排聳立的藍色建築，銜接著映襯在建築背後的淡粉灰色天空漸漸褪去。列車駛入鐵路調車場，尼爾森低頭俯視不可勝算、縱橫交錯的銀色鐵軌。他還來不及細數有多少條軌道，車窗上的臉孔已經在回瞪他，臉孔灰濛卻清晰可見，於是他望向另一個方向。列車已經進站，他和海德先生跳起來，拔腿奔向車門，兩人都沒察覺他們把午餐紙袋忘在座位上。

他們腳步僵硬地穿越小車站，步出沉重大門，直接踏進人潮車陣的暴風。人群正趕著去上班，尼爾森不知道眼睛該往哪看。海德先生靠在火車建物牆邊，呆呆瞪著眼前景象。

最後尼爾森說：「現在我們要怎麼探索城市？」

海德先生一句話都沒回，然後彷彿眼前路人給了他提示般，說：「用走的。」開始步上街道。尼爾森調整好帽子跟上他，聲音與畫面熱鬧滾滾地朝他蜂擁而來，踏上第一條街時他幾乎不曉得該看哪裡。到第二條街的轉角，海德先生轉過頭，望向他們甫離開的車站，這座具有混凝土穹頂的油灰色火車總站。他心想只要看得見穹頂，下午回來搭車時，應該就能找到走回車站的路。

他們前進時，尼爾森開始注意到不同細節，看見擺滿商品、琳琅滿目的商店櫥窗，包括五金器具、乾貨、雞飼料、烈酒。行經某間店面時，海德先生要他看裡面，並解說客人可以走進店裡，坐在椅上，將腳放上踏板，黑人就會幫你擦亮鞋子。他們緩步行進，停下腳步站在門口，將每個商店盡收眼底，卻沒走進店裡。海德先生決定不走進城裡商店，因爲他第一次造訪時，曾在一間偌大商店迷路，遭到好幾個人羞辱後才找到出口。

他們來到下一條街的中央，有間店門口擺著一台體重機，他們輪流站上去，投下一分錢，分別得到一張字條。海德先生的字條寫道：「你的體重是一百二十磅。你是個正直又勇敢的人，親朋好友都景仰你。」他把字條塞進口袋，詫異這台機器居然摸淸他的性格，卻搞錯他的體重，他不久前才量過，知道自己不過一百一十磅。尼爾森的字條寫著：「你的體重是九十八磅。未來前程似錦，但請留意黑女人。」尼爾森連一個女人都不認識，況且他的體重才六十八磅，海德先生指出機器可能印反阿拉伯數字，把六印成了九。

他們繼續走，走到第五條街的尾巴，火車總站的穹頂已消逝在視線範圍，海德先生接著往左一拐。要是下一間商店不那麼有趣，要尼爾森在同一間店門口站一個鐘頭都不成問題。他突然說：「我是在這裡出生的！」海德先生轉過頭，用驚恐神情望著他。男孩臉上閃耀一種教人冒汗的光彩，說：「我是在這裡出生的！」

海德先生目瞪口呆，他知道現在是他該採取嚴厲行動的時候。「讓我帶你去看一個你沒見過的東西。」語畢，海德先生把尼爾森拖到角落的排水溝出口，說：「蹲下，頭探進去。」男孩蹲下，把頭探進排水溝，海德先生提著他的外套後領。他聽見人行道深處傳來汩汩水聲，迅速往後一退，海德先生開始向他解釋排水系統。他說，整座城市地底都有連接所有排水溝的排水系統，裡面爬滿溝鼠，路人要是不愼踩空，就會被吸入深不見底的漆黑隧道。城裡每分鐘都可能有人被吸進排水系統，此後銷聲匿跡。他描述得栩栩如生，尼爾森有幾秒驚嚇到全身打顫，覺得排水道正是地獄入口，而他有生以來首次認識到世界地底的構造，連忙從路邊往後退了好幾步。

接著尼爾森嘴硬地說：「是沒錯，但你可以離這些洞遠一點啊，」他的頑固讓外公氣惱不已。尼爾森堅持地說：「我是從這裡來的！」

海德先生心灰意冷，但嘴裡只是喃喃自語：「你走著瞧吧。」他們繼續前進。過了兩條街尾後，海德先生往左一拐，感覺他們似乎只是繞著穹頂兜圈。他的預感沒錯，過了半個鐘頭他們又繞回車站前。起初尼爾森並未注意他已經看過這些商店，但當他們再經過可以把腳擺在踏板上讓黑人擦鞋的店時，他驚覺他們在兜圈子。

他大喊：「我們已經來過這裡了！我才不信你知道自己人在哪裡！」

海德先生說：「我只是方向感稍微失靈而已，」他們拐向另一條街。他並不打算離穹頂太遠，於是挑了條新路線，走了兩條街後又左轉，這條街充滿兩、三層樓的木製住宅，人行道的路人皆可飽覽屋內風光。海德先生瞥進一扇窗戶，看見有個女人正躺在鐵床上，身上蓋了一條棉被，朝外觀望，心照不宣的神情令他心頭一顫。接著一個表情猙獰的男孩騎著腳踏車乍然衝出，海德先生跳到一旁才沒被撞上。他說：「就算撞上你，他們也是一副沒事樣。你最好跟緊一點。」

他們繼續走在街上，接著他才又想到要轉彎。他們這會兒行經的房子並無粉刷，木材看似已經腐朽，房屋之間的街道縮窄。尼爾森接二連三看見黑人，於是下此結論：「這裡是黑人住宅區。」

海德先生說：「少囉唆，我們只是經過這裡，又不是專門來這裡看黑人的。」緊接著急轉入另一條街，黑人比比皆是。尼爾森的皮膚開始感到一陣刺癢，他們加快步伐，想要盡快離開這個區域。穿著汗衫的黑人站在門口，黑女人坐在凹陷的門廊搖椅上，正在街溝玩耍的黑人小孩停下動作，盯著他們猛瞧。沒多久他們走到黑人光顧的商店街，但他們並未停在這些店家門口。黑色臉龐的墨黑眼珠從四面八方轉向他們，海德先生說：「沒錯，你是在這種地方出生的，就在黑人堆裡呱呱落地。」

尼爾森露出怒容：「我受夠你老是害我們迷路。」

海德先生猛然回轉，尋找車站穹頂，卻不見穹頂蹤影。他嘴硬：「我才沒有迷路，是你懶得走路。」

尼爾森說：「我才不是懶得走路，只是餓了。給我一塊餅乾。」

他們這才發現午餐忘在火車上。

尼爾森說：「便當是你說要負責拿的，明明可以交給我的。」

「如果你想要當嚮導，我就把你丟在這裡，自己走。」海德先生說，看見男孩臉色發白時，他內心忍不住竊喜。但海德先生發現他們是真的迷路了，每分每秒都離車站越來越遠。如今他也肚子餓了，口乾舌燥，走到黑人區後兩人都出了一身汗。尼爾森還沒適應新鞋，混凝土人行道又僵硬難行，他們想找個地方坐下卻遍尋不著，只好繼續走。男孩壓低音量咕噥道：「先是弄丟午餐，現在又害我們迷路。」海德先生則不時發出低吼：「你想從黑人堆裡出生，就儘管告訴別人自己在這裡出生吧！」

日正當中，屋裡煮飯的香氣撲鼻而來。經過時，黑人全站在門口朝他們投以注目禮。尼爾森說：「你何不找黑人問路？害我們迷路的人可是你。」

海德先生說：「這裡是你的出生地，想問路你自己去。」

尼爾森很怕黑男人，也不想被黑人小鬼嘲笑。他看見前方有個體型龐大的黑女人正靠在面向人行道的門邊，頭髮豎立四英吋高，兩隻棕色裸足立著休息，兩足側邊呈現粉色，穿著一件凸顯身材的粉紅色洋裝。他們走到她面前時，她懶洋洋舉起一隻手，放在頭上，手指插進髮絲。

尼爾森停下腳步。他感覺女人的暗色眼珠似乎抽光他的呼吸。「要怎麼回市中心？」他的聲音變得不像自己的。

過了半晌，她回答：「你已經在市中心了。」低沉渾厚的嗓音讓尼爾森以爲有人拿冷水噴灑他。

「要怎麼走回火車站？」他用同樣僵硬的聲音問。

她回道：「你可以搭車。」

他明知道這句話是嘲諷，卻麻痺到無法顯露怒氣。他站在原地，將她的身體特徵盡收眼底。他的目光從她的粗大膝蓋一路往上移至額頭，視線勾勒出一個三角形，從她脖子上的汗水移至她的大胸脯、裸露的胳臂，最後繞回她插在頭髮裡的手指。他瞬間希望她伸出手抱緊他，把他壓在她身上，感受她噴在他臉上的氣息。他想像她將他越抱越緊，他則低頭望入她雙眼。他未曾有過這種感受，彷彿他天旋地轉跌落一個黝黑隧道。

她說：「你可以走到前面那個街口，搭車回火車站，親愛的。」

要不是海德先生粗魯拉起他，下一秒尼爾森肯定在她腳邊腿軟。「你瞧瞧你這副沒頭沒腦的樣子！」老人低吼。

他們快步走上街，尼爾森沒再回頭看那女人。他猛然將帽子往前一推，蓋住他羞愧滾燙的面容。火車車窗上曾見的譏諷鬼魂和旅途路上的不祥預感又回來了，他想起體重機的字條說要當心黑女人，他外公的字條則說他正直勇敢。想著想著，他不由自主揪住老先生的手，他很少展露出這種依賴。

他們朝軌道方向前進，一列黃色電車隆隆駛來，車廂綿延。海德先生從沒搭過電車，於是並未伸手攔車。尼爾森悶不吭聲，嘴巴不時輕微顫抖，但他的外公正為其他事操煩，根本沒注意到他這副模樣。他們站在街角，並未朝行經黑人投以注目，黑人跟白人一般忙著自己的事，但他們大多數人卻會停下腳步，打量海德先生和尼爾森。海德先生突然想到，既然電車行駛在軌道上，他們跟著軌道走就能回到車站了。他輕輕推了尼爾森一把，說明他們可以跟著軌道走回火車站，接下來兩人便出發了。

萬幸的是他們逐漸看見白人，尼爾森倚向一棟建物牆壁，在人行道坐下，說：「我必須休息一下。你弄丟午餐又害我們迷路，至少可以讓我休息一下吧。」

海德先生說：「前方有軌道，我們只要跟著走就行。便當不是我一個人的責任，這裡可是你的出生地，你的家鄉，你說這是第二次來了，你應該知道怎麼做吧。」然後他蹲下來，嘴裡繼續咕噥，但男孩忙著從鞋裡拔出痠痛的腳，沒有搭腔。

海德先生說：「而且那個黑女人告訴你怎麼走時，你像隻黑猩猩似的愣在那裡傻笑，老天爺！」

男孩的聲音顫抖：「我只說過我是在這裡出生的。我從沒說過我會喜歡這裡，也沒說過我想來，我只說我在這裡出生，對這裡一無所知。我想回家了，打從一開始我就沒說過想來，這全是你的餿主意，你怎麼知道跟著軌道走不會錯？」

海德先生也有思考過這個可能，他說：「看看周遭全是白人。」

「我們還沒來過這裡。」尼爾森說。這是一個磚石建築住宅區，但不確定是否還有住戶。幾部空蕩蕩的汽車停在街邊，偶爾有路人經過。自人行道往上竄的熱氣鑽進尼爾森的薄西裝，他的眼皮漸漸沉重，幾分鐘後便開始頻點頭，肩膀抽搐一、兩下後，身體往一側傾倒，疲憊地癱睡路邊。

海德先生沉默不語，他望著尼爾森。他也很累，偏偏不能兩人同時睡著，總而言之他也睡不著，因爲他根本不知道自己身在何處。幾分鐘後尼爾森就會醒來，睡飽後又開始大放厥詞，抱怨海德先生弄丟午餐，還害他們迷路。「要是我人不在這裡，你就眞的玩完了。」海德先生心想，腦海中突然浮現一個點子。他盯著癱睡的尼爾森片刻，然後站了起來。他爲自己接下來的行爲找了好藉口，偶爾應該給孩子永生難忘的教訓，尤其是像他這種老愛出言不遜的孩子。他無聲無息走到二十呎外的角落，在巷弄裡的有蓋垃圾桶上一屁股坐下。從這個角度，他能觀察尼爾森醒來後發現只剩他自己的反應。

男孩斷斷續續打著盹，意識朦朧地感覺到雜沓人聲，以及從他所在的陰暗角落踏進光裡的黑暗人影。睡夢中，他的臉部扭動，雙膝縮在下巴處。狹窄街道裡，太陽射下一束枯燥沉悶的光線，一切如常。一會兒後，猶如一隻老猴子、聳著肩坐在垃圾桶蓋上的海德先生下定決心，要是尼爾森還不醒，他就要用腳踹垃圾桶，發出點噪音。他瞥了眼手錶，發現已是午後兩點鐘，他們的火車六點出發，要是錯過火車，他簡直不敢想像後果有多可怕。他的腳往後朝垃圾桶猛力一踹，空心聲響在巷子內迴盪。

尼爾森在那瞬間驚呼跳起，他望向外公本來應該站立的位置，呆愣在那，接著在原地轉了好幾圈，隨後像一匹脫韁小野馬，回頭在街上拔腿狂奔。海德先生見狀連忙跳下垃圾桶，疾速跟上前，但他差點就跟丟尼爾森。他看見一個灰色影子溜進前方斜對角某條街，於是全力衝刺，每衝過一個岔路口就左右張望，卻壓根不見尼爾森的人影。就在海德先生氣喘吁吁經過第三個路口時，他看見前方半條街的場面，讓他頓時停下腳步。他蹲伏在一個廢物箱後方偷看，順便喘口氣。

尼爾森兩腿攤開，跌坐在地，他身旁有一個哭天搶地的老婦人，她剛買好的菜全散落在人行道上。一群看好戲的女人上前圍觀，海德先生清楚聽見倒在人行道上的老婦人大喊：「你害我扭傷腳踝，我要你老爸幫我出醫藥費！一分錢都不准少！報警！來人快點報警啊！」好幾個女人拉扯尼爾森的肩膀，但他神智恍惚到站不起來。

有樣東西將躲在廢物箱後面的海德先生往前擠，但他只遲緩地踏出一小步。他這輩子從沒被警察攔下來搭話。女人全包圍著尼爾森，彷彿下一刻即將撲上他，將他撕成碎片。老婦人持續尖聲抱怨她扭傷的腳踝，頻頻說要叫警察。海德先生慢慢走出來，緩慢到像是每向前走一步就往後退一步，但就在他距離大約十呎時，尼爾森發現了他，並且一躍而上，緊緊抱住他的臀部，靠在他身上喘氣。

這下女人們全轉過頭望向海德先生，受傷的老婦人坐起來，大聲嚷嚷：「這位先生！你的小孩撞傷我，你得全額負擔我的醫藥費，這莽撞的小鬼太不像話了！警察在哪裡？來人啊！幫我記下這男人的姓名和地址！」

海德先生試圖撥開尼爾森牢牢陷入他後大腿肉的手指，老男人的頭像是烏龜般縮進衣領，恐懼和警覺讓他兩眼呆滯無神。

「你的小孩撞傷我的腳踝！」老婦人叫嚷著：「警察！」

海德先生感覺到警察就要從後方到來，他直勾勾盯著眼前因憤怒而聚集的女人，猶如一堵阻止他逃跑的銅牆鐵壁，脫口而出：「這不是我的小孩。我不認識他。」

他感覺到尼爾森的手指滑落他大腿。

女人全往後一退，用驚恐眼神望著海德先生，彷彿這男人死不承認同一個模子印出的親骨肉，讓她們噁心反感，這下反而無法對他心狠手辣起來。海德先生繼續往前走，街道上聚集的人潮悄悄散去，他也穿過這條街道離去，留下尼爾森。他的前方空無一物，只有一個曾幾何時也是街道的空洞隧道。

男孩繼續站在原地，頸子往前伸長，雙手呆呆擺在身體兩側。他的帽子箍在頭頂，這下堅挺的皺褶已經不再。受傷老婦人起身朝他揮舞空拳，其他人則拋給他一個同情眼神，但他完全沒有留意，只知四周不見警察。

一分鐘後，他開始機械似地移動，然而並沒有積極跟上外公的腳步，只是保持二十步左右的距離跟在後頭，兩人就這樣走過五條街。海德先生的肩膀垮下，脖子往前伸長，從背後看不見頭。他不敢回頭，不過最後還是抱著一絲希望，越過肩頭掃視後方。他看見二十呎的後方，兩顆小眼睛猶如乾草叉尖般狠狠刺進他背部。

男孩並不善於體諒別人，但這是他頭一遭需要學著原諒。海德先生之前從未讓男孩這麼丟臉過，又走了兩條街後，他扭過頭，努力裝出歡樂的語調：「我們去買可口可樂吧！」

尼爾森轉過身，背對外公。他從未見過尼爾森展現如此強硬的尊嚴。

海德先生逐漸感受到拒絕的重量。他們持續前進，他的臉孔也越來越空洞，最後只剩下一條條紋路如溝壑般橫越。他已看不清行經街景，卻發現他們跟丟了電車軌道。眼前不見穹頂，傍晚正步步近逼，要是他們在城裡走到夜色昏黑，他曉得肯定會挨打遭搶。他早就預料到上帝會制裁他，卻無法想像他個人的罪過連累尼爾森，就連現在，他都帶領尼爾森一腳踏入他的宿命。

他們持續走過數條街道，行經無窮無盡的小磚房，直到海德先生險些撞上突出田邊六英吋的水龍頭而摔跤。從一早到現在，他一口水都沒喝，但他覺得自己連一口水都不配喝。這時他想到尼爾森肯定口渴了，要是他們一起喝水，就能順勢和好。他蹲下來，嘴巴湊近嘩啦啦的水龍頭，開始暢飲清涼的水，然後心急地高聲呼喊：「快過來喝水呀！」

這一回，尼爾森的目光穿透他將近六十秒。海德先生起身繼續走，彷彿他剛喝下的是毒水。雖然尼爾森在火車上用紙杯喝完水後，就再沒碰過一滴水，他仍然視而不見地走過去，像是嫌棄外公用過的水龍頭，這時海德先生才發現他已經完全無望。黯淡的午後日光讓他的臉孔飽受摧殘及被遺棄的巨大空虛，他感受得到男孩從背後平穩的步調中，散發出的堅定恨意。他知道（要是奇蹟發生，他們逃過謀財害命的劫數），餘生他們都會是這個狀態。他知道自己正飄入一個不曾存在的奇異黑暗所在，晚年如此不受敬重，他很歡迎人生的終點，因爲如此一來一切終將畫下句點。

至於尼爾森，他的心思仍凍結在外公背叛的那一刻，彷彿他想將它完好保存下來，直到最後審判日。他完全沒有左顧右盼，筆直往前走，嘴巴卻不時蠕動，而在他內心的遙遠深處，他感覺到一個黑色神祕形體正慢慢浮現，灼熱緊抱住並融化他凍結的視線。

太陽於一排房屋後方徐徐落下，他們卻幾乎視而不見，逕自走進優雅郊區，這裡的宅邸前方都隔著大片草坪，設有羅馬柱式的雅致鳥盆。郊區不見人煙，連續好幾條街連一隻狗都看不到，偌大雪白的房屋像是沉沒遠方的冰山。這裡沒有人行道，只有無止盡繞著荒謬圈子的車道。尼爾森不肯接近海德先生一步，老先生心想要是這時出現一個臭水溝口，他準備縱身一跳，讓水溝沖走他。他可以想像男孩站在一旁，不為所動看著他被臭水沖走。

一聲響亮的狗吠將他從思緒中拉回來，他抬眼看見一個肥胖男人牽著兩隻鬥牛犬，緩步走了過來。他像是遭遇船難、受困荒島的人，瘋狂揮舞手臂，大喊：「我迷路了！我迷路了！我找不到方向，這男孩得趕火車，偏偏我找不到火車站。噢，天啊，我迷路了！請你幫幫我！我迷路了！」

身穿高爾夫短褲的禿頭男人問他要搭哪班車，海德先生掏出車票，雙手顫抖到差點握不穩。尼爾森走到十五呎左右的距離，佇足旁觀。

「啊呀，」胖男人把車票遞回給他，說：「你現在來不及趕回城裡，但你可以到郊區的火車站搭車，從這裡走三條街就到了。」然後他開始解釋怎麼走。

海德先生的目光像是逐漸起死回生，等到男人說完，帶著在腳邊蹦跳的狗離開後，他轉向尼爾森，喘不過氣地宣布：「我們要回家了！」

男孩站在約莫十呎外的地點，灰帽下的臉龐毫無血色，雙眼閃過冷然的勝利。他的眼底沒有光芒、不帶感情、失去興致，佇立在那裡的，只剩下一個空等的小小人形。對他而言，家不具意義。

海德先生緩慢轉過身，他覺得他現在總算能明瞭，要是沒有分明季節，時間會是什麼感受，沒有光線的熱度是什麼感受，身爲一個無法獲得救贖的人類又是怎麼樣的感受。他不在乎是否能回到車站，要不是從濃烈薄暮裡發出的嘶吼聲引起他的注意，他可能早已忘了他還要去車站。

走不到五百碼，他就看見附近有一張塑膠人形立牌，那是一個蹲坐在低矮黃磚圍欄邊的黑人，圍欄對著一片寬闊草地彎曲。黑人和尼爾森差不多體型，由於將他固定在牆上的黏著劑破裂，他的身體向前傾，呈現一個不自在的角度。黑人的一隻眼睛全白，手裡端著一片棕色西瓜。

海德先生站在那兒，靜靜盯著他，直到尼爾森保持一小段距離停下腳步。他們兩人站在那裡，這時海德先生輕聲說：「冒牌黑人。」

冒牌黑人究竟年輕抑或老邁，說實在還真看不出來，他的狀態太淒慘，難以分辨年齡。他的心情應該是開心的，因爲他的嘴角拉高至兩側，然而缺眼和身體歪斜的角度卻讓他顯得分外淒涼。

「冒牌黑人！」尼爾森學海德先生的口吻重複這句話。

這兩人站在那裡，幾乎以同樣角度伸長頸部，幾乎如出一轍地拱著肩膀，雙手同樣顫抖插在口袋裡。海德先生像一個衰老的孩子，尼爾森則猶如小一號的老先生。他們佇立著凝望冒牌黑人的模樣，彷彿正面對某種神祕不解的事物，而這兩個遭遇同樣戰敗際遇的人，則在這勝利紀念碑前和好如初。彷彿慈悲降臨一般，他們感受到彼此間的敵意慢慢瓦解。海德先生從不曉得慈悲爲何物，因爲他一生順遂如意，從不需要他人的慈悲，然而現在，他卻懂了。他望著尼爾森，體悟到他必須對這孩子說點什麼，說明他還是有智慧的。尼爾森回視他，他感覺到這孩子極度渴望安撫，他的雙眼似乎乞求海德先生解釋人生奧祕。

海德先生嘴唇微開，本想吐出崇高宣言，卻聽見自己說：「這裡黑人太少，所以他們要放個冒牌的。」

一會兒後，男孩頷首，嘴巴詭異顫抖著，說：「趁我們還沒迷路前趕快回家吧。」

他們抵達郊區車站時，列車正好進站，他們一起上車。抵達岔軌處的十分鐘前，兩人走到車門邊，要是列車不停，他們準備好隨時跳車。但月色從雲朵後面一躍而出，月光再度燦爛遍灑林地之時，列車停了下來。他們踏出火車，鼠尾草在銀色暗影裡輕輕搖曳，腳下的新鮮煤渣閃耀烏黑光澤。樹梢猶如花園護牆般環繞此地，碩大白雲則好比錚亮燈籠般懸掛在天上，更顯得樹梢黝黑無比。

海德先生筆直站著，感覺到慈悲再次輕撫他，但這一次他總算懂了，世上沒有文字可以描述這種感受。他明白這種感受源自痛苦，是任何大人都必經的過程，而孩子也以奇異的方式體會到這種感受。他發現慈悲是人死之後唯一帶得走、可以餽贈造物主的東西。但在那一剎那間，他羞愧到全身滾燙，因爲他發現他沒有太多可以帶離開人世的慈悲。他驚愕呆立，以上帝的高標準毫不保留地批判自己，然而慈悲卻像烈焰般，包覆並吞噬他的驕傲。他從不覺得自己是個大罪人，但如今他卻發現，其實是爲了不讓他自己絕望，他的墮落才藏得好好的。他發現他打從人生起點就已經被赦免，從他的內心懷藏亞當的罪伊始，直到今天他否認可憐的尼爾森這一刻，他的罪早已獲得赦免。他瞭解沒有哪種罪會令人髮指到他不敢說是自己犯下的錯，上帝不僅愛世人，也原諒世人，他覺得在那個當下，他已準備好，隨時可以走進天堂。

尼爾森在帽簷陰影下調整表情，疲倦又狐疑地觀察外公。列車猶如一條驚惶失措的蛇，溜過他們身邊，鑽進森林。這時，就連他的臉孔都跟著發亮，他咕噥道：「我很高興我總算進城了，不過我也絕對不會再去！」

綠葉

五月太太的臥室裡，面東的窗戶低矮，月色下的公牛全身散發銀光，站在窗下，彷彿正抬頭聆聽屋內動靜，有如靜候追求良機的下凡天神。窗子漆黑一片，五月太太的氣息輕淺得傳不到外頭。閃逝經過月亮的雲朵讓公牛身軀一黑，開始在陰暗中刺破籬笆，雲朵消逝後，牠又在同一個地點出現，節奏平緩地咀嚼，方才鬆脫拔下的籬笆花冠還卡在牠的牛角尖。這時月亮再次遁入雲朵後方，除了穩定的咀嚼聲，牠的所在位置無人可察。一片粉色光暈陡然盈滿窗子，透過活動百葉窗的空隙投射出幾把光束，劃過牠的身軀，牠的腳往前一踏，低下頭，像在展現牛角上的花冠。

將近一分鐘左右，屋裡都不再傳出聲響，接著公牛又抬起戴花冠的頭，一個女人的喉音像在對狗說話：「先生，請你離開！」一秒後咕噥道：「黑人的二等公牛。」

公牛用腳刮擦著地面，五月太太在百葉窗前彎腰，迅速關起窗，以免光線引牠衝進灌木林。在那一秒，她只是彎身靜靜等待，寬鬆睡袍垂掛在她纖瘦的肩膀上。綠色橡膠髮捲井然有序竄出額頭，髮捲下的蛋白面膜讓那張臉龐有如混凝土般平滑，好在睡覺時拉平她的皺紋。

她在睡夢中意識清醒地聽見規律穩定的咀嚼聲，彷彿某樣東西正在咀嚼她的房屋牆壁。她很清楚無論那是什麼，只要房子是她的，它就會一直啃噬，從籬笆頭啃到房屋尾，吃乾抹淨，而它現在正在啃這棟房子，並將用同樣穩健規律的節奏冷靜嗑光整棟房子，最後吃掉她和兒子們。除了綠葉一家，所有物品都將被啃個精光，啃啊啃，啃到空無一物，啃到什麼都不剩，而曾經是她家的那塊空地中央，就會變成綠葉一家獨佔的小島。當津津有味的咀嚼碰到她的手肘，她驚嚇一跳，發現自己清醒地站在房間中央。她馬上就認出聲音：一頭牛正在拔扯她窗下的灌木林。無庸置疑，肯定是綠葉先生又打開對外閘門，就算整群牛都在她家草地上也不意外。她扭開幽暗的粉色桌燈，然後走到窗邊打開百葉窗。瘦高的長腿公牛正站在她窗下約莫四呎遠，猶如一個粗魯的鄉巴佬追求者，冷靜咀嚼著。

她氣憤地瞇眼瞪向公牛，十五年來她都對那些沒志氣的人採取放任態度，任由他們飼養的食用豬連根拔起她的燕麥，隨便他們的騾子在她的草地打滾，讓他們的劣等公牛和她的母牛交配。要不是建了這個籬笆，這頭牛肯定早就跨過圍欄，趁天光破曉前肆意踩躪她的母牛。而綠葉先生則在半呎外的佃農屋舍裡呼呼大睡，除非她更衣爬進汽車，開一小段路過去叫醒他，否則不可能好好教訓他。雖然他會踏出門，但他的神情、他的全身上下、他的每一次停頓，在在都表示著：「我覺得那兩個孩子不可能大半夜走這麼長一段路，帶他們的牛去吃你的草。如果是我的人吧，一定會自己圈起公牛。」

公牛低頭晃腦，花冠滑到牛角下，像是威嚇懾人的荊棘王冠。五月太太關起百葉窗，幾秒後聽見公牛踏著沉重腳步離開。

綠葉先生會說：「要是我的兒子，他們絕不會縱容這種事情發生。大半夜找人幫忙放牛？要的話他們會自己來。」

左右思量下，她決定還是別打擾綠葉先生，躺回床上，暗想著綠葉先生的兒子之所以可以順利長大，還不是因爲她在沒人願意雇用他們老爸時，給了他這份工作。她已經雇用綠葉先生十五年，換作是別人，鐵定連五分鐘都不肯用他。光從他處理一件事的態度就足以看出他是什麼樣的員工。他聳高肩膀，躡手躡腳，從不正面走來，而是在某個看不見的圈子外緣兜轉，要是你想看清他的臉，就得主動走到他面前。因爲她不確定自己找得到其他好員工，才一直沒開除他。他太苟且偷生，又懶得去找其他工作，連偷拐搶騙的動力都沒有，通常要她三催四請才動起來。他非要等到來不及了，才通知她某隻母牛病得不輕，需要找獸醫；要是她的穀倉失火，他絕對會先叫太太來看好戲，之後才撲滅火勢。至於他的太太，她連想都懶得想，跟太太相比，綠葉先生簡直如貴族般高尚。

他會說：「要是我家兒子，他們寧可剁掉右手，也不會讓他們的牛溜去你那……」

「如果你家兒子還有點志氣，綠葉先生，」哪天她很想這麼對他說：「他們就不會放任他們老媽做那種事。」

*

次日清晨，綠葉先生一走到後門，她就告訴他那隻公牛閒晃到她家附近了，並要他立刻立好柵欄。

「我已經立好了，牛三天前就在了。」他說，舉起右腳比劃，並稍微將腳轉過側邊，彷彿想看清鞋底。他站在後門的三階台階底端時，她正用身體推開廚房門。她是身形嬌小的老太太，近視雙眼的色澤很淺，豎立灰髮彷若受驚鳥兒的冠毛。

「三天！」她發出習慣成自然的隱忍尖叫。

綠葉先生的目光跨過鄰近牧草地，最後落在遠方。他從上衣口袋掏出一包香菸，往手心倒出一根，又將菸盒收回口袋，杵在那裡半晌，盯著他的香菸。不久後他開口：「我已經把牠圈入牛欄，但牠破壞了牛欄，在那之後就再也沒看到牠。」他彎腰爲香菸點火，頭部稍微轉向她。綠葉先生的臉部沿著弧度向下縮小，臉形長而窄，形狀略像高腳杯。他的眼窩深邃，眼珠帶有狐狸色澤，頭戴一頂順著鼻線前傾的灰色毛氈帽，帽子在眼睛上方形成陰影，整個人顯得身材瘦小。

五月太太說：「綠葉先生，你今早第一個任務就是圈好那頭公牛，你很清楚牠可能破壞我們的繁殖計畫。找到這頭牛，然後圈在牛欄裡，下次又有公牛走失的話，記得要立刻通知我，知道了嗎？」

「你想把牠圈在哪裡？」綠葉先生問。

「你把牠圈養在哪裡我不管，你多少有點概念吧。當然是把牠圈在牠逃不出去的地方啊！那是誰的公牛？」

綠葉先生一度語塞，遲疑著是該開口還是保持緘默。他望向左側思索一番後，說：「肯定是某人的公牛。」

「對，肯定是！」語畢，她不偏不倚甩上門。

她走到兩個兒子正在吃早餐的餐廳，往餐桌主位的椅緣坐下。她沒有吃早餐的習慣，卻還是坐下看兒子吃得怎樣。她模仿綠葉先生的口吻，講起那頭公牛：「肯定是某人的公牛。」衛斯理繼續埋頭閱讀原先折起擺在餐盤旁邊的報紙，史考斐爾德早餐吃到一半，偶爾會停下來看看她，接著哈哈大笑。面對同一件事情，兩個兒子的反應總是天南地北，她說這兩兄弟就像白天與黑夜，唯一的共同點是他們都不在乎這塊農地。史考斐爾德是商人，衛斯理是學術份子。

小兒子衛斯理七歲時曾因風濕熱大病一場，五月太太認爲這應該就是他走學術研究的主因。史考斐爾德這輩子從沒生過病，他的工作是保險專員。要是他拉的是一般保險，她絕不會多加微詞，偏偏他賣的保險只有黑人會買。黑人都稱他「保單男」，他說黑人保險比其他類型的保險更有賺頭，人前也毫不避諱，嚷嚷：「雖然媽媽不愛聽，但我是全美國最會賣的黑人保險專員！」

史考斐爾德現年三十六歲，擁有一張爽健開朗的笑臉，至今未婚。五月太太總是說：「是啊，要是你賣正常一點的保險，好人家的女兒就肯嫁你了。哪個好女孩願意嫁給黑人保險專員？等你總算醒來就後悔莫及。」

史考斐爾德會用悠德爾山歌的唱腔說：「媽媽，我會等你離開人世才結婚，娶一個農場胖妞接手農地！」某次他甚至補了一句：「——娶一個像綠葉太太的好女人。」他話一出口，五月太太連忙從椅子站起，背部如同草耙般僵硬地走回自己房間。她坐在床緣半晌，一張小臉顯得憔悴，最後喃喃道：「我一輩子努力工作，做盡奴才。我這般揮汗如雨、含辛茹苦，爲的是把這塊地留給他們，而他們卻打算等我過世，娶個下等女人回來破壞這個家園。他們居然想娶下等女人，破壞我辛辛苦苦建立的家園……」當下她決心改變遺囑，次日就去找了律師，更改兒子婚後的遺產繼承權，絕不讓他們的妻子沾到一點好處。

光是想到其中一個兒子可能會娶稍微類似綠葉太太的女人，就讓她渾身不舒坦。她已經對綠葉先生忍氣吞聲十五年，而她唯一能忍受他太太的方法，就是眼不見爲淨。綠葉太太肥胖壯碩，她屋子周遭的庭院貌似垃圾場，五個女兒也總是邋遢骯髒，就連最年幼的女兒都吸鼻煙。她不但不好好照料花園，也不洗衣服，成天只關心她所謂的「祈禱療癒法」。

每天她都會剪下病態的報紙新聞故事，例如慘遭性侵的女性、逃獄罪犯、被火焚燒的孩子、火車事故、飛機失事、電影巨星離婚等剪報，帶進森林挖一個坑掩埋，接著整個人倒在掩埋好的地面，嘴裡含糊咕噥長達一個鐘頭，肥胖手臂前後揮舞，最後直接在上面躺平，五月太太懷疑她晚上是否就這樣渾身泥濘地睡覺。

她是在綠葉一家為她工作幾個月後才發現這個現象。有天上午她出門巡視她想用來種植裸麥的農田，卻發現綠葉先生的穀類條播機播錯種籽，農田變成了三葉草。她沿著一條隔開兩塊牧草地的森林小徑走回家時，嘴裡喃喃自語，為了避免碰到蛇，她一手用長棍有條有理地敲打地面，低聲咕噥道：「綠葉先生，我沒那本錢承擔你犯下的錯。我經濟拮据，這塊農地就是我的全部，我還有兩個兒子要養，我沒辦法……」

忽地，不知從何方傳來一聲從喉嚨發出的痛苦叫聲：「主耶穌！主耶穌啊！」過了一會兒，又是一聲十萬火急的呼喊：「主耶穌！主耶穌！」

五月太太止步，一手擱在喉頭。這聲音錐心刺耳，她以為是從地底釋放、狂暴野蠻的鬼神力量，正準備朝她俯衝而來。冷靜之後，她第二個猜測合理多了：恐怕是有人受傷，之後可能會對她提告，讓她賠光農地。她可沒有保險啊！她緊急衝上前去，在小徑上拐了彎後，卻看見綠葉太太頭部低垂，雙手雙膝趴地，整個人癱在路邊。

「綠葉太太！」她驚叫：「發生什麼事了？」

綠葉太太抬起頭，她的臉沾有泥濘和淚水，紅色眼眶圈著紫花豌豆色澤的浮腫小眼珠，但她的表情卻跟鬥牛犬一般冷靜。她前後擺動雙手和膝蓋，咕噥：「主耶穌，耶穌啊。」

五月太太蹙眉。正如某些話不方便出閨房說，她以爲「耶穌」兩個字應該在教堂才提。她是虔誠的基督徒，非常敬重基督教，但她當然不相信聖經故事是眞的。她語氣尖銳地問：「你哪裡有毛病？」

「你打斷我的療癒，」綠葉太太揮手打發她，說：「我結束前無法跟你說話。」

五月太太身軀前彎，愣在原地，她的嘴巴錯愕地張開，從地面舉起長棍，彷彿不確定她想用棍子敲打什麼。

「噢，主耶穌啊，請刺向我的心臟吧！」綠葉太太尖叫：「耶穌，刺向我的心臟！」她的身體攤平，倒回泥土地，構成一個碩大人形塚，雙腿和雙臂伸個老長，彷彿想要環抱這塊土地。

五月太太就像被孩子羞辱般，內心憤怒卻無能爲力。她打直身子說：「耶穌眞的以你爲恥。祂會叫你立刻從地面爬起來，回家清洗孩子的衣服！」語畢轉過身，盡她所能快步離開。

每當她思索著綠葉家的兒子會怎麼發展，都只想得到綠葉太太癱躺在地面的難堪模樣，自言自語：「嘖，無論他們未來發展如何，都是那種人的孩子。」

她想要在遺囑裡補充一點：等到她過世，衛斯理和史考斐爾德將不再續聘綠葉先生。她自己還管得動綠葉先生，但她兒子可沒那能耐。綠葉先生曾向她指出，她兒子根本分不出乾草和青貯的差別。她卻反擊兒子擁有其他天賦，史考斐爾德是事業有成的商人，衛斯理則是成功的學術人士。綠葉先生沒再回嘴，但只要一逮到機會，就會想方設法用表情或簡單的姿態，表達他對她兩個兒子的輕蔑不屑。身爲綠葉家的廢物一份子，只要一有機會提到兩個兒子，就會毫不猶豫讓她知道：綠葉家的O.T.和E.T.比她兒子優秀。

綠葉家的兒子比五月家的兒子年輕兩、三歲，兩人是雙胞胎，每次和其中一人說話時，你都很難分辨是在和O.T.還是E.T.說話，他們也不會好心告訴你。綠葉家的兒子雙腿修長、骨架粗大，皮膚紅潤，明亮的眼睛遺傳自他們老爸，閃爍著狐狸毛皮的色澤。他們是雙胞胎這件事，是他們第一個讓綠葉先生驕傲的主因。五月太太說，他老是覺得他們很聰明，知道要生爲雙胞胎。這兩人活力充沛、工作勤奮，她不得不承認這一切得來不易，而二次世界大戰是主要原因。

雙胞胎都曾經參戰，穿著制服僞裝身分，外表無異於其他孩子，當然他們一開口就破功，不過他們鮮少開口。這兩人做過最聰明的一件事就是派至海外，娶了法籍太太。而且娶的還不是隨便的法國女孩，兩人都是分辨不出純正英語被兄弟倆如何扼殺，也不曉得綠葉一家是何許人也的好女孩。

衛斯理有心臟問題，不能爲國出征；史考斐爾德則曾服役兩年，但他並不特別上進，退役時仍只是一等兵。而綠葉家的男孩都是某階級的中士，那陣子綠葉先生只要一逮到機會，就會用軍階提及兩個兒子。這兩個兒子都順利讓自己帶傷退役，領到退休撫卹金。不僅如此，他們一退伍就善用社會福利，到大學攻讀農業系，並讓全國納稅人幫他們養法國太太。這兩個兒子目前住在一間由政府出資建造的連棟磚頭平房，土地也是政府出資，高速公路開兩哩就會抵達。五月太太說，要是說戰爭造就人民，那些人民指的絕對就是綠葉家的兒子。這兩個兒子分別有三個年幼孩子，講了一口標準的綠葉家英語和法語，基於母親的身分背景，他們未來會被送去教會學校，在嚴格的言行紀律下長大。「二十年後，」五月太太問史考斐爾德和衛斯理：「你們覺得他們會變成什麼樣的人？」

她鬱悶地說：「上流社會人士。」

她應付綠葉先生十五年，現在已得心應手，對付他就像看老天臉色，要依照他當日心情而定。好比鄉下人能從黎明和夕陽觀測天氣，面對他，她也學會察言觀色。

五月太太並非一出生就是鄉下人。已逝的五月先生是商人，趁降價時買下這塊地，而這也是他死後唯一留給她的東西。兒子並不想搬到鳥不生蛋的鄉下農場，但她別無選擇。當時她砍伐農地木材，賺了一筆錢，綠葉先生看到她的招聘廣告後來信，五月太太遂用這筆錢展開酪農事業。他信裡只有簡短的兩句話：「我看到你刊登的廣告，我會帶兩個兒子過去。」可是他隔日開著一輛拼裝貨車抵達時，車上的人不只駕駛前座裡的他和兩個兒子，車斗板上竟還坐著太太和五個女兒。

在她農場工作這幾年來，綠葉先生和太太幾乎沒有變老。他們無憂無慮，不用負任何責任，就像生長於田野的百合花，全靠她費力灌溉的土地滋養存活。等到她過勞和操煩而死，健康活力的綠葉一家就會榨乾史考斐爾德和衛斯理。

衛斯理說，綠葉太太沒有變老是因爲她將所有情緒都發洩在祈禱療癒上，接著說：「你也應該開始禱告，親愛的。」天啊，他克制不了自己，故意用惡毒話語刺激她。

史考斐爾德只會激怒她到忍無可忍，但衛斯理才是眞正讓她頭疼的孩子。他身材纖瘦、神經緊繃、頂上無毛，加入學術界只讓他神經更緊繃。她很懷疑死前是否眞的見得到他結婚，卻毫不懷疑他最後娶的絕對不會是好女孩。好女孩不喜歡史考斐爾德，衛斯理則是不喜歡好女孩。其實衛斯理什麼都不喜歡。他每天開車二十哩到大學授課，每晚又開二十哩回家，他說他厭惡這二十哩路程，他厭惡這所二流大學，他厭惡愚蠢大學生，他厭惡鄉下、厭惡他的人生、厭惡他得和母親及白癡哥哥同住，厭惡老得聽她講這座破爛酪農場、破員工、動也不動的破機械。儘管叨念不斷，他從未積極想辦法搬走，雖然老把巴黎和羅馬掛嘴邊，卻連亞特蘭大都沒去過。

五月太太說：「你去這些地方只會生病。哪個巴黎人能理解你的無鹽飲食？要是你終於娶了願意和你交往的外國人，你覺得她會幫你煮無鹽料理？想都別想，她才不會！」每當她說出這類的話，衛斯理都在椅子上稍微轉過身不搭腔。有次她叨叨絮絮個沒完沒了，他終於忍不住咆哮：「大姐，那你怎麼沒有些實際作爲？你怎麼不能像綠葉太太那樣爲我禱告？」

她說：「我不喜歡你們拿宗教開玩笑。要是你肯上教會，就會遇到好女孩了。」

可是他們根本不受教。她現在望著兩個兒子各據餐桌一角，對一頭可能蹂躪她家母牛的走失公牛毫不在乎。但這可是他們的牛群，他們自個兒的將來！她現在看著這兩個孩子，一個埋首於報紙中，另一個在椅子上搖搖晃晃，像個蠢蛋般衝著她傻笑，她眞想跳起來一拳打向桌面，大吼：「有天你們會恍然大悟，到時再看清現實爲時已晚！」

史考斐爾德說：「媽媽，可別太興奮，我可以告訴你那頭公牛是誰的。」他不懷好意地看著她，椅子往前一傾，整個人站起來，肩膀向前彎，雙手高舉遮頭，躡手躡腳退到門廳拉開門，除了露出一張臉，幾乎整個人都躲在後面。他問：「親愛的，你想知道嗎？」

五月太太冷冷地坐在那兒盯著他。

他說：「那是 O.T. 和 E.T. 的公牛。我昨天去跟他們的黑人收錢，他告訴我他們丟了一頭公牛。」接著誇張地露出一排牙齒，悄然消失。

衛斯理抬眼大笑。

五月太太抬頭面向前方，表情不為所動，說：「我是這個家裡唯一的大人。」她在餐桌上彎身，抽走衛斯理擺在餐盤邊的報紙，接著開口：「你知道一旦我死了，就輪到你們倆應付他吧？你知道為何他不知道那頭公牛是誰的嗎？因為那是他們的牛。你瞭解我都要忍受些什麼嗎？你明白要是這幾年來沒有我來管他，你們兩個就得凌晨四點鐘起床擠牛奶嗎？」

衛斯理抽回報紙，放回餐盤旁，正眼瞅住她的臉，說：「就算可以從地獄救回你的靈魂，我也不會擠牛奶。」

「我知道你不會。」她的聲音冰冷，背部往椅子一靠，快速轉動起擺在餐盤一側的餐刀，說：「O.T. 和 E.T. 都是好孩子，他們才應該是我兒子。」這個想法令她驚愕到淚水迅速湧上眼眶，眼前的衛斯理變得一片迷茫。她只能看見他黑暗朦朧的身形迅速從餐桌移開，她喊著：「而你們才應該是那女人的孩子！」

他已經走向門口。

她用微弱的聲音說：「真不知道我死了你們倆會變怎樣。」

「你老是我死了我死了說個不停！」他衝出門時怒吼：「但你明明健康得不得了！」

有那麼一刻她只是坐在餐桌前，直勾勾望著餐廳對面窗外那片模糊不清的灰綠風景。她扯了下臉龐和脖子肌肉，用力深呼吸，可是眼前景致依舊糊成一片水汪汪的灰濛。「他們用不著知道我就快死了，」她低聲說，帶著一絲倔強的聲音補充一句：「等到我準備好就會死了。」

她用餐巾抹了下眼角，起身走到窗前，凝望著眼前景致。母牛正在對面道路的兩塊淺綠色牧草地上吃草，背後有一堵圈住牠們的黝黑樹牆，鋸齒般的尖銳邊緣映襯冷淡天空，光是看見牧草地就夠讓她的心情平靜下來。她從屋裡隨便一個窗戶往外望，都看得見自己的模樣。她住在都市的朋友都說，她是他們見過最不平凡的女人，即使身無分文、毫無經驗，依舊成功經營一座荒蕪農場。她曾說：「一切條件都不利於你。天氣不利於你，土壤不利於你，員工不利於你。他們全聯手對付你一個，除了堅定的手，你什麼都沒有！」

小史考斐爾德會大叫：「快看看媽媽堅定的手！」然後捉住她手臂，高高舉起她那浮著青筋的纖細小手，任手腕如同殘破百合花蕊般往下垂，在場的人總是開懷大笑。

太陽緩緩挪動至正在吃草、黑白相間的乳牛上空，只比天空稍微明亮燦爛一些。她低頭看見一個黑暗形體，很可能只是太陽從某個角度投射出的陰影，在乳牛群當中游移。接下來她尖銳大叫，轉身衝出屋子。

綠葉先生正在青貯壕填補手推車。她站在邊緣低頭俯視他，「我明明叫你先去找那頭公牛，但現在牠在我的乳牛群裡！」

綠葉先生說：「我無法一心二用。」

「我叫你先處理這件事。」

他將手推車推出青貯壕，往穀倉的方向走去，她緊跟在他背後，說：「你別以爲我不知道，綠葉先生。我知道公牛是誰的，也知道爲何你不急著告訴我有頭走失公牛。要是我真的希望我的乳牛遭到蹂躪，我乾脆養O.T.和E.T.的公牛，不是嗎。」

綠葉先生手推車推到一半停下來，他往後一瞥：「那是他們的公牛？」語氣裡充滿不可置信。

她不發一語，繃緊嘴唇望向他處。

他說：「他們只告訴我他們的公牛不見了，但我沒料到那是他們的牛。」

她說：「我現在就要你圈好這頭牛，我會開車去O.T.和E.T.家，請他們今天就來牽走牛。我應該收這頭牛在這裡的費用，以防類似事件再度發生。」

綠葉先生提議：「這頭牛只要七十五美元。」

她說：「這頭牛送給我都不要。」

綠葉先生繼續道：「他們本來只想宰這頭公牛，沒想到牠會亂跑，用牛角衝撞他們的貨車。牠不是很喜歡汽車和貨車，最後他們千辛萬苦才把牛角拔出擋泥板，牠一重獲自由就跑走了，他們也累到沒力氣追上去，但我沒想到這就是那頭牛。」

她說：「綠葉先生，我付你薪水不是要你去想這件事的。既然你現在知道了，還不快去騎馬趕牛！」

半小時後，她從前窗看見那頭松鼠色調、臀部突起、牛角輕盈而修長的公牛，正在屋前的泥土路悠閒漫步，綠葉先生騎著一匹馬跟在牠背後。她喃喃道：「要是我再看到一隻牛，肯定就是綠葉家的公牛。」她走到門廊嚷嚷：「把牠圈在牠逃不出來的地方！」

綠葉先生在公牛臀部後方等待牠的許可：「牠喜歡撞開脫逃，這頭牛很愛玩。」

她說：「要是你兒子不帶走牠，牠就真的玩完了——我先警告你。」

他聽見她說的話，沒有答覆。

「我真的沒看過比牠更難看的公牛！」她呼喊著，他已經走遠，聽不到她的聲音。

*

日正當中，她駛進O.T.和E.T.家的私人車道。煥新的低矮紅磚建物位在光禿無數的山丘上，簡直像一間有窗倉庫。正午時分的烈陽直接曝曬白色屋頂，這是現代人喜歡建造的房屋，除了三隻獵犬和狐狸犬的混種狗外，這棟房子左看右看都不像綠葉家。她的車才剛停下，三隻狗便從屋後衝出。她提醒自己看狗就能看出一個人的檔次，接著按了下喇叭。坐在車上等人出來時，她繼續研究這棟房子。窗戶緊閉，她不禁好奇政府是否也幫他們裝了冷氣。眼看沒人出門，她又按了一次喇叭，不久後一扇門打開，幾個孩子出現在門邊，杵在那兒盯著她，沒人走向前。她認出這是綠葉家的特色——他們可以站在門口不動，就這樣盯著她好幾個鐘頭。

她喊道：「你們誰可以過來一下嗎？」

一分鐘後，他們全數緩步前進。孩子們穿著連身衣褲，赤腳光足，卻沒她想像的骯髒。其中兩、三個格外像綠葉家的人，其他人則不那麼像，最小的孩子是個一頭髒兮兮的黑髮小女孩。他們在汽車六呎外的距離止步，注視著她。

五月太太面對最年幼的女孩說：「你長得好漂亮呀。」

沒有應答，孩子皆一臉不爲所動。

她問：「你們的媽媽在哪裡？」

這次一樣許久沒人答覆，接著其中一人用法語回答，五月太太不會講法語。

她問：「你們的爸爸在哪裡？」

過一會兒，其中一個男孩回道：「他也不災。」

「啊，」五月說，彷彿這男孩證明了她的猜想。「那黑人在哪裡？」

她耐心等待，卻沒人願意回答，於是她說：「貓咪有六根小舌頭，你們想不想跟我回家，我教你們說話啊?」語畢她哈哈大笑,笑聲卻在靜默空氣中凝結。她感覺自己正在接受人生審判,面對的是綠葉家的陪審團。她又說:「那我去找看看黑人。」

其中一個男孩說:「你想要的話可以去找他。」

她含糊地說:「好吧,謝謝。」接著開車離開。

穀倉就位在房屋旁的小巷子。她還沒見過這間穀倉,但綠葉先生曾對她鉅細彌遺描述過,這間穀倉是以最新規模搭建而成,是從下方爲乳牛擠奶的牛奶棚,牛奶會經由輸送管,以機器送至牛乳處理室。綠葉先生說,他們不需要人工將水桶運送牛奶,還問她:「你什麼時候也自己裝一個?」

她回道:「綠葉先生,我可沒有政府的輔助,我要自己動手做,而且裝設牛奶棚要價兩萬美元,我幾乎沒什麼賺頭。」

「這是我兒子自己裝的,」綠葉先生咕噥道,又補充一句——「當然不是所有人的兒子都會。」

她說:「你說得對!謝天謝地!」

綠葉先生拉長調子說:「我感謝上帝給了我這一切。」

你當然感謝,她在接踵而來的凝重沉默中暗想,哪件事是你自己動手做的。

她停在穀倉旁按了喇叭卻無人現身。那短短幾分鐘，她只是坐在車內，觀察周遭擺放的數台機器，好奇著有幾台是政府出資的。他們有一台青貯收割機，還有一台捲壓式乾草壓捆機。五月太太也有這幾台機器。她決定了既然沒人在，就要溜進去偷看一眼牛奶棚，看看是否保持乾淨。她打開牛奶棚的門，頭探進室內，當下立刻感覺自己快喘不過氣。白色混凝土室內一塵不染，與頭部齊高的一排窗戶，從兩側牆壁灑下陽光，鋼鐵支柱發出錚亮光芒，她得瞇起眼才能看見。她的頭探出室外，關上門，皺著眉倚在門邊。室外光線沒這麼刺眼，但她很清楚太陽正曝曬著她的頭頂，彷如一顆準備射進她腦門的銀色子彈。

一個黑人扛著裝有小牛飼料的黃色水桶，從擺放機器的角落繞過來，朝她的方向走來。他是個膚色帶些淺黃的男孩，穿著綠葉雙胞胎不再需要的軍裝，保持禮貌距離停下腳步，將水桶擱在地上。

她問：「O.T. 先生和 E.T. 先生在哪裡？」

「O.T. 先生進城了，E.T. 先生人正在那邊的田地。」黑人回道，手先指向左邊，然後指向右邊，彷彿正指出兩顆行星的方位。

「你記得住我說的話嗎？」她問，一副深表懷疑的神情。

「要是我沒忘記，就記得住。」他的聲音裡帶有一絲慍怒。

她說：「這樣的話我拿筆寫下吧。」她走回車，從皮夾取出一小截鉛筆，在空白信封袋背後寫起字。黑人走向前，站在窗邊。她邊寫邊說：「我是五月太太，他們的公牛在我那裡，我要牠今天就離開。你可以告訴他們我很不高興。」

黑人說：「那隻公牛週六就跑走，之後再也沒人看見牠，我們不知道牠跑哪去了。」

她說：「這樣啊，那現在你們知道了。你可以告訴 O.T. 和 E.T. 先生，要是今天不來牽回這頭牛，我就會請他們老爸明早起床就處理掉牠，我不能讓那頭公牛蹂躪我的乳牛。」她將字條遞給他。

他取過字條，說：「據我對 O.T. 先生和 E.T. 先生的瞭解，他們會叫你儘管動手，開槍殺了牠。牠已經撞壞一輛貨車，我們很高興牠走丟了。」

她的頭往後一仰，投以意興闌珊的眼神，問：「他們以爲我會浪費自己和員工的時間，幫他們射殺公牛？他們不想要這頭牛，故意放牠跑走，然後期望誰來幫他們動手殺了牠？牠吃了我的燕麥、蹂躪我的乳牛，現在還要我親手射殺牠？」

他聲音輕柔地說：「我想是吧，牠已經破壞了我們……」

她用嚴峻尖銳的眼神瞪他，說：「對，我一點也不訝異，有些人就是這副德性。」一會兒後又說：「O.T. 先生和 E.T. 先生，哪個才是你老闆？」她一直都懷疑他們私下是否會起爭執。

男孩說：「他們從不吵架，他們就像裝在不同身體裡的同一個人。」

「哼，我猜你只是沒聽過他們吵架。」

「沒人聽過他們吵架。」他說，眼神望向遠方，彷彿是在對別人傲慢回嘴。

她說：「是嗎，我忍受了他們父親十五年，對綠葉一家倒是略知一二。」

黑人彷彿認出她一般瞬間望向她，眼睛閃著光芒，問：「你是保單男的母親嗎？」

她尖銳回道：「我不知道保單男是誰。把字條交給他們，轉告他們要是今天不來牽回公牛，明天他們父親就會射殺這頭牛。」語畢揚長而去。

她整個下午都在家等待綠葉雙胞胎牽走公牛。他們沒來。「最後連替他們擦屁股也要我來做嗎？」她怒氣沖天地想著，「他們只是無所不用其極地利用我。」晚餐時，爲了讓兒子看清O.T.和E.T.的爲人，她刻意在餐桌上重提這件事。「他們不想要那頭公牛——把奶油遞給我——所以故意放走牠，讓別人去傷神，思考該怎麼幫他們處置這頭牛。你覺得呢？受害的可是我，我一直都是受害者！」

「把奶油遞給受害者。」衛斯理說，由於從大學返家的路上車輪爆胎，他今天的幽默感比往常更惡毒。

史考斐爾德遞給她奶油，說：「媽，不過是一頭無辜老公牛，讓你的乳牛血統稍微不純正，你就想射殺牠，你不覺得可恥嗎？有這樣的老媽，我還能如此心地善良，真是天大的奇蹟！」

衛斯理說：「可是孩子，你不是她親生的啊。」

她背部往後一靠，指尖在餐桌桌緣輕敲。

史考斐爾德說：「我只曉得，從我的出身背景看啊，今天我能長成這樣算不錯囉。」

他們故意操著綠葉家的英語腔調嘲諷她，但衛斯理的口吻卻分外鋒利：「哦，讓我高訴你一件事，老哥。」他的上半身往餐桌一傾：「要是你有點腦袋，早就知道答案了。」

「答案是什麼？」史考斐爾德問，他的寬闊臉龐衝著對面那張瘦巴巴的緊繃面孔傻笑。

「答案就是，」衛斯理說：「我們兩個都不是她生的……」她發出一聲嘶啞喘息，彷彿老馬無預警衝出馬廄般。他沒再說下去，她倏然起身逃離餐廳。

「噢，你也幫幫忙！」衛斯理發出低沉怒吼：「沒事幹嘛惹她？」

史考斐爾德說：「不是我喔，惹她的人明明是你。」

「哈。」

「她不年輕了，不像以往，現在承受不起這種玩笑。」

衛斯理說：「她只會找人出氣，而我就是那個出氣包。」

哥哥本來愉悅的表情瞬間一暗，醜陋的家族特質浮現在兩人臉上，他說：「沒人會可憐你這種垃圾混球。」上半身跨過餐桌，揪起對方襯衫前襟。

她在房裡聽見外面傳來碗盤碎裂聲，趕緊穿過廚房直奔餐廳。她到餐廳時只看見走廊門敞開，史考斐爾德已經離開。衛斯理像隻以背部著地的大甲蟲躺在那，餐桌掀翻，側邊不偏不倚壓住他上半身，碎裂碗碟則散落在他身上。她推開餐桌，捉住他的胳膊想拉他起來，沒想到他腳步踉蹌爬起來後，竟奮力推開她，衝出走廊門追了出去。

她差點軟腳癱倒，但後方的敲門聲令她渾身一僵，她旋過身子，穿越廚房和後門廊，看見綠葉先生透過紗門的熱心眼神。她全身的力氣又回來了，彷彿只要惡魔本尊現身，她就能重燃鬥志。他喊道：「我聽見轟然巨響，以為灰泥牆倒塌，壓在你身上。」

平時要是想找綠葉先生，你就得先騎上馬背，千里迢迢去找他。她走過廚房和門廊，站在紗門內側說：「沒事，沒什麼，只是一隻桌腳不太穩，餐桌翻覆而已。」接著半拍都沒停地說：「你兒子今天沒來牽回公牛，所以你明天得射殺牠。」

天空遍布交錯穿透的紅紫色彩霞，後方的太陽彷彿正在爬梯子，緩緩下降。綠葉先生背對她蹲在台階上，帽頂正好與她的雙腳齊高，說：「明天我會開車幫你把牠送回去。」

「噢，這就不用你麻煩了，綠葉先生。」她的聲音充滿嘲諷：「你明天送牠回去，牠下週又會跑回來，我比誰都清楚。」然後哀嘆道：「我沒想到 O.T. 和 E.T. 居然會這麼對待我，我以為他們多少會心存感激。這兩個孩子可在我這兒度過了一段歡樂童年，綠葉先生，你敢說不是嗎？」

綠葉先生沒有搭腔。

她又續道：「我想是的，他們在這裡過得可開心了。但他們早就忘了我曾爲他們做過的小事，要是我記得沒錯，他們曾經穿我兒子的舊衣，玩我兒子的舊玩具，拿我兒子的舊槍打獵。他們在我的水池裡游泳，射殺我的鳥，在我的小溪裡捕魚，要是我記得沒錯，我從沒忘記他們的生日，聖誕節也時常記得他們。可是他們現在還記得這些嗎？早忘得一乾二淨。」

那短短幾秒鐘，她只是凝視下沉消逝的夕陽，綠葉先生則凝望自己的掌心。不久後，她似乎想到什麼，問：「你知道他們不牽走公牛的眞正原因嗎？」

「不，我不知道。」綠葉先生口氣惡劣地回道。

她說：「他們之所以不來，是因爲我是女人。遇到女人你可以儘管耍賴，但要是這座酪農場的主人是男人……」

綠葉先生的回應猶如猛蛇的攻勢，又快又狠：「你有兩個兒子，他們知道你的農場有兩個男人……」

夕陽已經沉沒在樹梢頂端。她俯首望向他那抬起的狡猾臉孔，帽簷陰影下的雙眼閃閃發亮。她故意沉默一段時間，讓他明白他的話有多傷人，接著才開口：「有些人要過很久才懂得知恩圖報，綠葉先生。而有些人永遠都不會懂。」她轉過身，留他一人坐在台階上。

午夜時分，她在夢裡聽見一個聲響，彷若大石頭在她大腦外壁鑽孔的聲音。而她正在大腦內部，穿越蜿蜒連綿的秀麗山丘，每踏出一步就拿長棍往前方地面敲一下。一會兒後她發現，聲音其實來自太陽，太陽正在燒透樹梢，於是她駐足觀看，卻不擔心太陽會燒到樹梢，她曉得太陽必定會像她家門外那樣徐徐下沉。她剛停下腳步時，太陽猶如一顆腫脹紅球，但就在她駐足觀看時，太陽開始變得窄小蒼白，最後變成猶如一顆子彈。那一瞬間，太陽燒光一排樹梢，迅速滾落山丘，朝她直奔而來。她一手掩住嘴驚醒，雖然聲音漸漸消逝，但一模一樣的聲音卻清晰可聞，原來是那頭公牛在她窗下咀嚼吃草。綠葉先生又放牠出來了。

她起床，在黑暗之中走到窗邊，透過百葉窗的縫隙查看，但公牛已經離開樹籬。起先她完全沒看見牠，接著看到不遠處有個沉重身形，似乎正在凝神觀察她。她說，這是我最後一晚忍受這種鳥事，然後目睹鐵灰色陰影在漆黑裡離去。

隔日早晨她等到十一點整才開車來到穀倉，綠葉先生正在清洗牛奶罐，把七只牛奶罐擺在處理室外曬太陽。她已經督促他做這件事兩週了。她說：「好了，綠葉先生，現在你去取槍，我們要射殺那頭公牛。」

「我以為你想要這些牛奶罐……」

「快去取槍，綠葉先生。」她的語調平板，面無表情。

「那隻公牛昨晚又破壞圍欄逃跑了……」他聲音含糊，充滿懊悔，在他手臂探入的牛奶罐上彎腰。

「快去取槍，綠葉先生。」她用同樣平板的勝利聲音說：「公牛正在枯奶期乳牛的牧草地，我從樓上房間的窗戶看見牠了。我載你過去原野，你把牠逼到空草地，然後在那裡射殺牠。」

他慢慢從牛奶罐中抽出手，「誰都不准叫我射殺我兒子的公牛！」他的聲音高亢刺耳，從後口袋掏出一條破布，狂亂擦拭雙手和鼻子。

她一副沒聽見的樣子轉身，說：「我在車上等你。去拿槍。」

她坐在車上，看著他昂首闊步走向他保存槍枝的馬具間，進去後裡面發出一聲巨響，似乎他用力踢開了某個擋路的東西。不消多久他帶著槍出現，繞過汽車後面，用力打開車門，跳上她旁邊的位置。他把槍擱在雙膝中央，眼睛直視前方。「他想要射殺的不是牛，是我。」她暗想著，刻意轉過頭，不讓他看見她臉上的笑意。

這天早上清朗開闊，她穿越森林的四分之一哩，來到狹窄道路兩側皆為田野的空地。說服別人的愉悅心情讓她思緒清晰，四下鳥兒吱啁，草地明亮得雙眼幾乎無法直視，天空同樣蔚藍得刺眼。「春天來了！」她語氣愉快地說。綠葉先生牽動嘴角肌肉，彷彿這是他聽過史上最愚蠢的一句話。她把車停在第二塊牧草地閘門前，他從車上一躍而下，奮力關上車門，接著打開閘門，讓她開車駛入，關上閘門後又悶不吭聲跳回車上。她在牧草地邊緣兜圈，發現了那頭公牛，牠幾乎就在草地中央，安然無恙和其他乳牛吃著草。

「那頭牛在等你呢，」她說，對綠葉先生忿忿不平的模樣投以一個狡猾眼神。「你去把牠逼到另一塊牧草地，等牠進去後，我會跟在你背後，自己關閘門。」

他逕自跳下車，這次故意不關上車門，讓她上半身跨過副駕駛座關門。他走過牧草地，走向對面閘門時，她的臉上掛著笑容，等著看好戲。他似乎每一步都在逼自己前進，又被往後拉回，彷彿他正在召喚某種力量見證他是被迫的。「快啊，」她大聲嚷嚷的音量彷彿他還在車裡：「這是你兒子逼你的，綠葉先生！」O.T. 和 E.T. 現在可能正在捧腹大笑，她能聽見他們用如出一轍的鼻音說：「我們請老爸幫忙射殺公牛，老爸根本不知情，還以爲他準備殺的是頭好牛！要老爸去射那頭牛，肯定讓他倍感煎熬！」

她說：「要是你兒子眞的在乎你就會來牽牛了，他們眞的讓我大感意外。」

他先是兜圈，隨後打開閘門，公牛就在一群黑白相間的乳牛裡聞風不動，襯得牠的黝黑更加顯眼。牠繼續低頭吃草，綠葉先生開了閘門，接著繞回來，從後頭接近牠。走到大約十呎外的距離後，他在公牛身旁揮舞雙臂，公牛懶洋洋地抬頭，接下來又低頭繼續吃草。綠葉先生屈身拾起某樣東西，奮力揮手擲向牠。她猜想應該是某塊尖銳石頭，因爲公牛猛然一跳，開始拔腿狂奔，直到消失在山丘邊緣。綠葉先生好整以暇地跟在後面。

「你別故意跟丟牠哦！」她嚷嚷道，發動引擎駕車穿越牧草地。行駛過凹凸不平的草地時她得放慢速度，抵達閘門時卻舉目不見綠葉先生和公牛。這片牧草地比上一塊來得小，是一座綠油油的鬥牛場，森林完整環繞著這塊地。她走出車子，關上閘門，左右張望尋找綠葉先生，卻完全不見綠葉先生的蹤跡。她馬上識破這是他的計謀，故意在森林裡跟丟公牛。她猜最後她會看見他從樹林間冒出，腳步蹣跚地走向她，到了她面前後，開口：「如果你能在森林裡找到那頭公牛，算你贏。」

到時她打算這麼告訴他：「綠葉先生，如果我得和你走進森林，在那裡耗一整個下午，我們還是可以找到公牛，一槍讓牠好死。需要的話我可以幫你扣扳機，射殺的工作就交給你了。」等到他發現她是認真的，就會回到森林速戰速決。

她走回車上，開到牧草地中央，要是他從森林出來，不用走多遠就會回到車上。當下她可以想像得到，他正坐在一截樹幹上，拿一根木棍在地上畫線。她用手錶計時，決定等他十分鐘，十分鐘過後開始按喇叭。她步出車門繞過車身，坐在前保險桿等待休憩。她忽然感到一股倦意襲來，於是仰躺在車蓋上閉目養神。明明還沒正午，她不懂她怎麼感覺這麼累，她可以從合起的眼皮感覺到頭頂的熾熱烈陽，她稍微睜眼，卻被白光刺得再度閉上眼。

她就這麼仰躺在車蓋上，昏昏沉沉地好奇自己怎會那麼疲累。閉上眼睛時，她覺得時間不是切分成日與夜，而是今與昔。她心想，自己之所以那麼疲憊，肯定是因爲她努力打拚了十五年，她覺得自己有疲倦的權利，重返工作前休息個幾分鐘也不爲過。無論死後要面對哪一種審判椅，她都能夠義正詞嚴地說：我這一生辛勤工作，不曾偷懶。回憶辛勤耕耘的人生這一刻，綠葉先生正在森林裡混水摸魚，綠葉太太恐怕正平躺在地，睡在她挖掘來掩埋報紙剪報的坑洞上。這女人經年累月下來狀態越來越惡劣，五月太太深信，她現在肯定已經發瘋了。「我擔心你太太的心靈遭到宗教扭曲，」她有次委婉告訴綠葉先生：「你知道嗎？凡事都有個限度。」

綠葉先生說：「她有次治好一個腸子被蠕蟲吃掉一半的男人。」她感到噁心地轉身。現在她心想，可憐的傢伙，眞是單細胞生物。幾秒後她開始打盹。

等到她坐起來看手錶時，十分鐘早就過去。她一聲槍響都沒聽見，某個想法油然而生：綠葉先生可能丟石頭惹毛公牛，公牛憤而轉身攻擊他，將他刺向一棵樹，導致他肚破腸流。整個事件只變得愈加諷刺：O.T. 和 E.T. 會找一個訟棍告她，而這就是她和綠葉家合作十五年後的完美終點。她心滿意足地思忖這個結局，彷彿這是可以和朋友分享的完美故事結局。但接著她馬上收回這個想法，因爲綠葉先生有槍，而她也有買保險。

她決定要按喇叭，於是站起來走回車窗，按了三聲冗長的喇叭聲，緊接著是兩、三聲短促喇叭，示意她已快失去耐心，接著又回到車蓋坐著。

幾分鐘後，某個東西從林木線間現形，那是一個黝黑沉重的陰影，牠甩了數次頭，接下來往前跳躍。一秒後她看出是那頭公牛，牠正穿越牧草地，朝她慢馳而來，牠的步態愉快，姿態近乎搖擺，彷彿很開心總算又找到她。她眺望公牛身後，想看看綠葉先生是否會跟著步出森林，卻不見他的人影。「牠在這裡，綠葉先生！」她大聲呼喊，然後望向牧草地另一端，想看他是否會從那裡冒出來，卻仍不見綠葉先生的人影。就在她回過頭時，她發現那頭公牛低下頭，正朝她拔腿狂奔而來。她全身僵直動不了，但不是出於恐懼，而是不可置信，凝結在原地。她眼睜睜凝視那團狂暴烏黑的影子朝她飛奔過來，彷彿她已失去距離感，當下無法看清牠的意圖。她的表情還來不及變換，公牛的頭已經埋進她的大腿，猶如一個心痛瘋癲的情人。其中一支牛角陷入她的身體，刺穿她的心臟，另一支牛角則彎曲刺進她腹側，堅穩鉗起她的全身。她的眼睛繼續直視前方，但眼前景致全然變樣，林木線變成世界的一道黑暗傷疤，而這個世界除了天空別無他物。她的表情像是某個瞬間恢復視力、卻難以忍受刺眼光線的人。

綠葉先生高舉起槍，從森林外側衝向她，雖然她沒有瞥向他的方向，卻看得見他俯衝過來，她看見他兜著某個看不見的圈子外圍奔來，他身後的林木線張開血盆大口，腳下空無一物。他對著公牛的眼睛連開四槍，五月太太聽不見槍響，卻感覺得到龐然大物倒塌瞬間的身體震顫，牠將頂在頭上的她往前一拋，綠葉先生靠近她時，她屈身的姿態就像在這隻公牛的耳邊細語，低聲傾訴某個人生的最終發現。

森林風光

前一週的每個早晨，瑪莉．幸運都和老先生一起望著機器挖起土壤，傾倒成堆。工程地點是嶄新湖水岸邊的一塊地，老先生將這塊地賣給某位準備蓋釣魚俱樂部的商人。他和瑪莉．幸運每天早上十點左右都會開車過來，在堤岸停好那輛桑椹色調的老舊凱迪拉克，然後在堤岸俯瞰施工過程。泛著漣漪的紅色湖水停在工地外五十呎處，湖水另一端是烏黑的森林輪廓，森林橫跨湖水景致，繼續沿著田野邊陲綿延。

老先生坐在保險桿上，瑪莉．幸運跨坐在車蓋上，兩人就這麼觀賞施工，有時他們一坐就坐了長達數個鐘頭，機器井然有序從原本的乳牛牧草地上，挖出一口方形的紅色深坑。這塊地是皮茲曾經唯一成功拔除豬草[1]的牧草地，老先生賣掉這塊地時皮茲差點沒中風，幸運先生倒很樂見皮茲中風。

「任何想拿乳牛牧草地干預文明進步的蠢蛋，我都不在乎。」他坐在保險桿上，對瑪莉．幸運重複這句話，但這孩子眼底只有機器，除此之外什麼都不想管。坐在車蓋上的她俯瞰紅色大坑，望著那不具形體的食道裡被塞滿黏土，發出深層悠長的嘔吐聲、機械式的遲緩反胃聲，隨著旋轉的動作將黏土吐出來。她眼鏡後方的淺色眼睛一再跟著機器的重複動作轉動，那張老先生迷你版的小臉全神貫注，興致從未削減。

除了老先生本人，沒人樂見瑪莉．幸運長得像外公。但他覺得這一點讓她格外迷人可愛，是他見過最聰明漂亮的孩子，老先生也清楚地讓大家知道，要是他準備留下任何遺產，遺產繼承人別無他人，絕對是瑪莉．幸運。她現年九歲，短小寬廣的體態與老先生如出一轍，此外她亦擁有跟他一樣的淺藍眼珠、寬闊的大額頭、冷靜尖銳的怒視、紅通通的臉孔，但她像他的地方不只有外表，就某些特殊層面來說，她也擁有他的智慧、堅強意志、動力和幹勁。儘管相差七十歲，兩人心靈的差距卻微乎其微。瑪莉．幸運是全家族裡他唯一重視的人。

雖然瑪莉．幸運的老媽，也就是他的三女兒抑或四女兒（他永遠記不住是哪一位）自認盡了照顧父親的責任，但他還是對她厭惡不已。她很謹慎沒說出口，卻表現得好像自己是唯一能忍受這老傢伙的人，也是唯一有資格繼承他遺產的人。她嫁給一個名叫皮茲的蠢材，生了七個孩子，

1豬草（bitterweed），又叫豚草、美洲艾，是極具生命力與侵略性的雜草，且易造成花粉熱。

除了瑪莉・幸運像他的再版，每一個孩子都跟他們老爸一樣蠢。皮茲是個無法守財的人，幸運先生在十年前讓這家人搬進他的房子，在農場耕種。皮茲的收入都由自己留著，唯有這塊土地依然屬於幸運先生，這點他也開門見山地說了。井水乾涸時，他堅持不讓皮茲挖深井，而是堅持要他們從泉水處打水。他不打算自己付錢掘井，更清楚若是讓皮茲付錢，未來若他對皮茲說：「你住的可是我的土地。」皮茲肯定會反駁：「是這樣嗎？那你喝的水也是我的泵打出來的水。」

皮茲一家人在這裡住了十年，肯定以爲這塊地是自己的。他女兒是在這裡出生長大，但老先生覺得自她嫁給皮茲那刻起，她比較喜歡的是皮茲，而不是自己的老家。回到家後，她只像個房客，然而他不肯收他們房租，道理和他不讓他們鑿水井是一樣的。除非他可以掌握財務大權，否則年過六十只是個令人心神不寧的年齡。他不時會給皮茲一家來點教訓，偶爾出售土地。眼睜睜看著土地一塊塊賣給外人，讓皮茲很難嚥下這口氣，因爲他也想要買。

皮茲是個纖瘦戽斗、脾氣暴躁、沉悶且陰晴不定的男人，他太太則以恪盡本分爲傲：留在家裡照顧爸爸是我的本分，要是我不做，有誰肯做？雖然我自願留下，但我很清楚不會有回報，我是爲了盡當女兒的本分才留下來的。

老先生才沒那麼容易受騙上當。他知道他們迫不及待幫他挖一個八呎深的坑，好讓他入土爲安，到時卽使他沒將這塊地留給他們，他們還是打定了主意可以買下來。其實老先生早已暗中擬好遺囑，將所有財產託管給瑪莉．幸運，並請他的律師當遺囑執行人，而不是皮茲。等到他過世，瑪莉．幸運恐怕會讓他們嚇到跳腳，他毫不懷疑她肯定會讓他們嚇到跳腳。

十年前他們宣布，要是卽將誕生的寶寶是男孩，就以老先生的名字爲孩子取名爲馬克．幸運．皮茲。聞言他毫不遲疑地警告他們，要是他們把他的名字跟皮茲湊在一塊兒，就休想分到一塊土地。寶寶出生並確定是女孩後，老先生發現卽使才出世一天，這孩子卻跟他十分神似，於是他放軟姿態，建議以他母親的名字爲孩子命名瑪莉．幸運。七十年前，他摯愛的母親在生下他後便永別人世。

幸運一家的房子位於鄉間泥土路，距離鋪好的大馬路約十五哩。要不是託文明進步的福，他哪可能賣出一塊地。對他來說進步就是他的盟友，他絕不是那種抗拒進步、反對新穎事物、遭逢改變就畏縮逃跑的老古板。他想要看見他家門口鋪好高速公路，看著無數新型汽車在高速公路上奔馳，希望對街開一家超級市場，附近蓋加油站、汽車旅館、露天電影院。在那一瞬間，進步讓全世界動起來，電力公司在河畔蓋了水壩，爲鄰近的遼闊鄉間地帶灌溉，最終成形的湖水在他的土地延綿半哩。任何一個張三李四、阿貓阿狗、他的哥哥都想在湖岸有塊地。他們曾提及牽電話線的事，也講到會在幸運家門前鋪一條道路，甚至提到最後會蓋一座城鎮，他覺得應該替這座小鎮命名爲喬治亞州幸運鎮。卽使已經七十九歲，他是個視野先進的人。

前一天挖土機已經停止運轉，今天他們看到兩台塡平坑洞的巨大黃色推土機。開始出售土地前，他的土地範圍多達八百英畝，目前他總共賣掉農場後面五塊二十英畝的地。每賣出一塊地，皮茲的血壓就升高二十個百分點。「皮茲一家會不惜爲了乳牛放牧地，搗亂未來發展，」他對瑪莉·幸運說：「但你和我都不是這種人。」其實瑪莉·幸運也是皮茲家的人，但對此他保持寬闊胸襟，選擇忽略這件事，彷彿這並不是孩子本身的錯。他覺得瑪莉就是跟他同一個模子捏出來的，他坐在保險桿上，她坐在車蓋上，光腳丫擱在他肩膀上。一架推土機挪動到他們腳下，削去他們車子停靠的堤岸側邊。要是老先生的腳再伸出去幾英吋，肯定會騰空懸在那兒。

「如果你不顧好，」瑪莉·幸運的聲音壓過機器噪音。「他就會削去你的泥土！」

老先生大喊：「你看那條圍欄木樁，他還沒越過那條木樁。」

她大吼：「只是還沒而已！」

推土機隆隆行經他們腳下，又隆隆前進遙遠的彼端。他說：「你眼睛睜大點看著吧，他要是撞上木樁，我會叫他停下來的。皮茲家的人會爲了乳牛放牧地、養騾地、或是一排豌豆阻礙文明進步。」接著又說：「你和我是有腦袋的人，很清楚我們不能爲了一頭乳牛制止機器……」

「他在另一頭搖晃木樁！」她尖叫。還來不及阻止，她已經跳下車蓋，沿著河岸邊緣衝過去，小小的黃色洋裝裙襬在身後鼓脹。

「別跑到太靠近邊緣的地方！」他嘶吼，但她早已跑到木樁那頭，蹲在一旁觀看劇烈搖晃的木樁。她在岸邊彎腰，對推土機操作員搖晃拳頭，他只對她揮揮手後繼續工作。「她一根小指頭都比這群工人的腦袋加起來要聰明。」老先生自言自語，滿臉驕傲望著她走回來。

瑪莉有著一頭濃密鬆軟的沙色頭髮，髮色跟他還有頭髮時一模一樣。直髮在眉毛上方剪齊，其他頭髮則順著兩頰留長，長至耳尖，形成一扇為臉孔中央敞開的門。她戴著跟他一樣的銀框眼鏡，就連走路步態都和他一個模樣，腹部突起，慎重停頓的動作像在搖擺，亦像在拖腳。她走在危險的河岸邊緣，右腳外側與河岸齊平。

他喊道：「我說你走裡面一點！要是從那裡跌下去，你就活不到釣魚俱樂部蓋好的那天了。」他向來都小心看緊她，不讓她做危險的事，不讓她坐在搖搖晃晃的地方，也不讓她把手伸進大黃蜂可能躲藏的樹叢。

她半寸都沒移。她跟他一樣，要是不想聽，老是習慣充耳不聞，由於這個小技巧是由他親自傳授，所以他對她的表現讚賞不已。他已經能預見她到了他這把年紀，人生會非常順遂。她回到車子前，默默不語爬回車蓋，將雙腳擺回她習慣的外公肩上，彷彿他只是汽車的一部分，她的注意力回到推土機上。

「要是不當心，別忘了你可能會錯過什麼。」她外公說道。

他是個嚴格的外公，卻從不曾打她。有些小孩就像皮茲家另外六個孩子，他覺得每週打一次，讓他們記取教訓並不爲過，但控制聰明的小孩有其他對策，他從不曾對瑪莉．幸運動粗。此外，他也從不讓她母親或兄姊對她出手，但皮茲家的老爸又另當別論。

他是個脾氣火爆又蠻橫不講理的男人。幸運先生眼見他緩緩從餐桌椅上起立——當然不是主位，主位是幸運先生的位置。皮茲從自己的位置站起來，老先生好幾次都感到心臟突突猛跳，接著毫無理由、毫無解釋，皮茲倏然轉過頭對瑪莉．幸運說：「你跟我來。」步出房屋同時動手解開腰帶。孩子的臉蛋冒出全然陌生的表情，老先生無法界定這表情是什麼意思，卻爲此震怒不已。這個表情寫滿惶恐敬畏，又帶有另一種情緒，很像是甘心配合。瑪莉臉上出現這號表情後便起身，乖乖跟著皮茲走出門。兩人上了他的貨車，並開到叫天不應叫地不靈的地點後，他再狠狠揍她一頓。

幸運先生會開車跟蹤他們，親眼見證這一切，所以知道他會揍她。他躲在一百碼外的地點，從巨石後方窺視，只見這孩子緊抓松樹不放，皮茲則彷彿井然有序地用背帶側邊擊打樹叢般，以皮帶抽打她腳踝。而她卻只是上下跳動，彷佛站在一個滾燙火爐上，發出小狗遭到痛毆的哀嚎。皮茲就這麼連續抽打約三分鐘，然後不發一語轉過身，走回貨車，把她留在外頭。她滑下樹木底端坐著，兩手搓揉雙腳，搖晃著身體。老先生鬼鬼祟祟上前找她，這時她的臉蛋皺成一顆紅色小團子，眼淚鼻涕齊下。他撲向前，氣急敗壞地說：「你怎麼不反擊？你的反抗精神上哪去了？你覺得我會乖乖讓他打嗎？」

她跳了起來，從他身邊後退，倔強地抬起下巴說：「沒有人打我。」

他大爲光火：「你以爲我沒看見剛才發生的事？」

她說：「這裡沒人，沒有人打我。這輩子沒人打過我，有人敢打我，我就殺了他。你可以自己看看，這裡沒人。」

「你現在是說我撒謊，還是瞎了眼！」他咆哮：「我剛才親眼看見他揍你！你卻完全不反擊，只是默默任他打！除了抱著那棵樹跳上跳下地哭，你什麼都沒做！換作是我，肯定早就朝他的臉揮拳，然後……」

「這裡沒人，也沒有人揍我，要是有人敢我就殺了他！」她怒吼，轉身拔腿狂奔進森林。

「那我就是波蘭陶瓷豬公！黑色就是白的！」他對她的背影狂吼，然後坐在樹底下一顆小石塊上，一股憎惡油然而生，憤怒難平。這是皮茲對他的報復，彷彿皮茲開車到這個地方，揍的人其實是他，而乖乖屈服的人也是他。他曾想到一個阻止他的對策，那就是警告他要是敢再揍她，就休想繼承土地，但他此話一出，皮茲反擊：「你敢拿土地威脅我，我就拿她威脅你！來啊！我有打她的權利，只要我爽，一年三百六十五天都可以揍她！」

只要能讓皮茲知道他的厲害，他就會想辦法實踐，目前他正在醞釀一個謀略，對皮茲必定是一大打擊。在他告訴瑪莉．幸運，若是不當心便可能錯過的時候，他已經津津有味地思索這個計畫。他並沒有等她回答，就補充道接下來他可能會賣出另一塊土地，成功賣出這塊地後，他會給她一點甜頭，不過前提是她得跟他頂嘴。他們經常鬥嘴，很像在一隻公雞面前擺張鏡子，看牠衝撞自己的倒影。

瑪莉．幸運說：「我不想要甜頭。」

「我沒看你拒絕過甜頭。」

她說：「你也沒看我主動要求過吧。」

他問：「你現在存了多少錢？」

「不乾你的似，」她說，兩腳用力踩他的肩膀。「你別管我的閒似！」

他說：「我猜你就像個黑人歐巴桑，把錢縫在床墊內裡。你應該把錢存在銀行，等土地成交，我立刻幫你開戶。除了你和我之外，沒人能動這個帳戶。」

推土機又繞回他們腳下，淹沒接下來他要說的話。他等待噪音過去，便迫不及待脫口而出：「我準備賣掉我們家大門前那塊地，蓋一間加油站。從今以後我們就不用大老遠開車去加油了，只要走出前門就是加油站。」

幸運家的房子離大馬路約有兩百呎，他有意出售的正是這塊兩百呎內的空地。他女兒隨口稱這塊地為「草坪」，但說穿了其實只是一大片雜草。

「你指的是，」過了半晌，瑪麗．幸運問：「草坪？」

他回答：「沒錯，我的大小姐！我指的正是草坪。」說罷一掌拍向他的大腿。

她不發一語，他轉頭俯視她的臉蛋，看見頭髮框出的方形裡，自己的臉孔正回望他，但表情卻跟他現在臉上的截然不同，是他不悅時會顯露的陰沉表情。她咕噥：「那是我們玩耍的地點。」

「是嗎？你們還有很多可以玩耍的地方啊。」他說，對她的意興闌珊略感惱怒。

她說：「以後我們就看不到大馬路對面的森林了。」

老先生瞪著她，重複道：「大馬路對面的森林？」

她又說：「我們看不到風景。」

他複述：「風景？」

她說：「森林啊，我們無法從門廊看見森林。」

他重複：「從門廊看見森林？」

她又說：「我爹地都在那塊地餵小牛吃草。」

老先生錯愕不已，暴怒慢了半拍，下一秒才發出怒吼，暴跳如雷，轉過身一拳打在車蓋上：

「他可以去別的地方餵牛吃草！」

她說：「要是你從堤岸上跌跤，就會悔不當初。」

他的視線完全沒有離開她的臉，一路從車頭繞到車側：「你以爲我在乎他在哪餵牛吃草？你以爲我會讓幾頭小牛擾亂我的生意？你以爲我該死地在乎那個蠢材在哪裡餵牛吃草？」

她坐在那裡，漲紅的臉孔比髮色更顯通紅，如實反映出他當下的表情。她說：「恥笑自己兄弟愚蠢之人必將浴於地獄之火。[2]」

他嘶喊：「除非你從沒做錯事，否則別妄下評斷！」他的臉色顯得比她深紫，說：「我說你！他每次揍你，你都乖乖讓他揍！除了抽噎啜泣、跳上跳下，你什麼都不做！」

「沒有人碰我，他也沒有。」她危險冷然地將一個個字吐出牙縫，「沒人敢碰我，要是有人敢，我就送他上西天。」

老先生尖聲嚷叫：「那這樣黑卽是白，黑夜就是白晝了！」

推土機經過他們腳下，兩人對峙的臉孔僅距離一呎，表情一模一樣，直到噪音消逝，老先生才說：「你自己走路回家，我拒絕開車送耶洗別[3]一程！」

「我也拒絕和巴比倫大淫婦搭同一輛車！」語畢，她從車子另一側溜下，漫步穿越牧草地。

「淫婦是女人！」他狂吼：「你根本不知道自己在說什麼！」但她根本不屑轉過身回答他。

他凝望那矮小結實的人影穿越黃點斑駁的原野，她的傲氣讓他感到驕傲，彷彿細小溫和的潮水，無法克制地重返嶄新湖面，但她無法勇敢對抗皮茲卻令他失望，讓潮水猶如退浪般消逝。要是老先生能教會她，將反抗他的態度用來對付皮茲，她就完美無缺了，擁有堅強無畏的心智，絕對是任何人都想要的孩子，偏偏這是她性格上唯一的缺失，也是她唯一不像他的地方。他轉頭遠眺湖面對岸的森林，告訴自己再等五年，森林就會消失，由房屋、商店、停車場取而代之，而他會是最大功臣。

他想以身作則，當孩子的榜樣，既然他心意已決，便在午餐時宣布他正和一個名叫提爾曼的男人談生意，要出售家門前那塊地蓋加油站。

他的女兒一臉倦怠坐在餐桌尾端，發出的哀嚎彷彿是有把鈍刀徐徐插進她胸膛。「你居然要賣草坪！」她邊哀嚎邊倒回椅背，語調含糊到幾乎沒人聽懂，她重複：「他要賣草坪啊。」

另外六個孩子尖叫，放聲痛哭：「那是我們玩耍的草坪！」、「爸，別讓他賣啊！」、「這

2出自《新約．馬太福音》5:22。

3耶洗別（Jezebel），《舊約．列王記》中的人物，以色列王亞哈（Ahab）的妻子。性情冷酷，利用她的王后身分和懦弱的以色列國王，壓迫人民改變信仰，並殺害耶和華的先知。

樣我們就看不見大馬路了！」諸如此類的愚蠢反應。瑪莉．幸運沉默不語，表情含蓄但倔強，似乎正心懷鬼胎。皮茲已吃不下飯，只是眼神呆滯注視正前方，他幾乎沒動餐盤，猶如兩顆深色石英的拳頭緊握著，聞風不動擺在餐盤兩側。他的眼睛梭巡一個個孩子，彷彿正在搜尋某人。最後他的目光停在坐於外公旁邊的瑪莉．幸運臉上，喃喃說道：「你居然敢這樣對我們。」

「我沒有。」雖然嘴巴這麼說，她的聲音卻沒有半點把握。那只是一種顫抖，是受驚孩子的聲音。

皮茲起身，說：「你跟我來。」轉身步出餐廳，邊走邊鬆開皮帶，老先生心灰意冷地看她滑下餐桌，跟在他背後的她幾乎半跑了起來，步出大門，坐進他的貨車後座，揚長而去。

她的懦弱對幸運先生極具威力，彷彿懦弱的是他自己，讓他嘔心想吐。「他毆打一個無辜的孩子，」他對顯然仍伏倒在餐桌尾端的女兒說，「而你們居然不出手制止他。」

「你也沒有啊。」其中一個孫子別有用意地說，背景傳來青蛙的低鳴合唱。

他說：「我是心臟有毛病的老人，怎麼擋得住一頭牛。」

「這全是她設的局，」他女兒無精打采，慢悠悠吐出這幾個字，坐在椅子邊緣前後擺盪頭部。

「這全是她設的局。」

「沒有孩子設我的局！」他咆哮：「你算哪門子的母親！羞不羞愧！那孩子是天使！是聖人

啊！」他的高聲咆哮破音，最後倉皇衝出餐廳。

當天下午他只能倒在床上，每當他想到那孩子遭到痛毆，他的心臟就膨脹到差點要衝破胸膛。但現在他的心意更堅定了，他的家門前一定要蓋加油站，要是能順便讓皮茲氣到中風，錦上添花。要是他中風癱瘓是活該，今後他再也無法毆打她。

瑪莉．幸運從來無法對他生太久的氣，也無法認眞生他的氣，儘管那一天他沒再看見她。隔日早晨起床後，她已經跨坐在他胸膛上，命令他別再拖拖拉拉，否則他們會錯過混凝土攪拌機。

他們抵達時，工人正在爲釣魚俱樂部打地基，混凝土攪拌機已經開始運轉。這部機器的規模和色調很類似馬戲團大象，他們停留長達半小時，觀賞它攪拌。上午十一點半，老先生和提爾曼有約，需要討論交易細節，於是他們得先離開。他沒有告訴瑪莉．幸運他們要去哪裡，只交代說他得去見一個人。

提爾曼在高速公路五哩處經營一間複合式鄉村商店，也是加油站、金屬廢料場、二手車拍賣場兼舞廳，而高速公路則連接幸運一家門外的泥土路。既然泥土路很快就會鋪成大馬路，他希望在這塊地找個好地點，成爲一間類似商家的經營據點。提爾曼前途似錦，幸運先生認爲他從不與進步同行，而是稍微走在進步前端，等到進步降臨，他已在前方等待與它會合。高速公路上的路牌不斷宣布距離提爾曼的商店只剩五哩、四哩、三哩、兩哩、一哩，最後一面寫著「提爾曼的店快到囉，轉彎後就到了！」閃亮豔紅的字樣標示：「歡迎光臨提爾曼商店！」

一大片的二手車體包夾提爾曼商店的左右兩側，猶如無藥可醫的汽車病房。他也販售戶外裝飾品，例如石製鶴和雞、甕、花器、旋轉小玩意兒。爲了不破壞舞廳客人的興致，一整列墓碑和紀念碑擺在距離大馬路較遠的地點。他的生意大多是露天商品，所以建物本身不需要太多裝潢。這棟木造建築只有一廳，後面加蓋一間長型錫鐵大廳，當作舞廳使用。舞廳分成兩大區，分別是彩虹廳和雪白廳，各自裝設一架投幣式點唱機。他還有一座燒烤爐，販賣火烤三明治和無酒精飲料。

他們的車駛進提爾曼商店的棚架時，老先生目光掃向兩腳縮在椅座上的孫女，她的下巴頂在膝蓋上，他心想不知她是否記得這位提爾曼就是要跟他買地的人。

「你開車來這裡幹嘛？」她突然發問，像是嗅到敵人般聞著空氣。

他說：「不乾你的似。你只需要好好坐在車上，等我回來給你一樣東西。」

她一臉陰沉地說：「不要給我東西，因爲我不會留在這裡。」

「哈！」他說：「現在你已經在這裡了，也只能等我回來。」語畢他下車，沒再多看她一眼，逕自步入提爾曼已在等候的幽暗店內。

半小時後他走出商店，她卻已經不在車上。他心想，恐怕是躲起來了吧，於是繞著商店查看是否人在後面。他瞥入兩間舞廳門裡，又繞著一排墓碑走，眼睛在一大片凹陷車體裡梭巡。他放眼望向這兩百部汽車，心想她可能躲在其中一部車裡或後方。他走回商店前門，有個黑人男孩正坐在地上，背靠在冒著水珠的行動冰箱上，啜飲某種紫色飲料。

他問：「小朋友，那個小女孩跑哪去了？」

男孩回道：「我沒看見什麼小女孩。」

老先生不耐煩地從口袋撈出一枚五分錢硬幣遞給他：「一個穿黃色棉質洋裝的漂亮小女孩。」

男孩說：「如果你是說一個跟你長得很像的胖嘟嘟小孩，她上了白人的貨車走了。」

他大喊：「什麼樣的貨車？什麼白人？」

男孩咂咂嘴唇，說：「一台綠色小貨車。她喊那個白人『爹地』，他們不久前往那個方向離開了。」

老先生渾身顫抖地回到車上，自己開車回家，內心百感交集，情緒在暴怒和屈辱之間游移。她從不曾離他而去，更不可能爲了皮茲這麼做，肯定是皮茲命令她上車，而她不敢反抗。但當他得出這個結論，憤怒卻不由得升溫。究竟是怎麼搞的，爲何她不敢反抗皮茲？明明他把她教得那麼好，性格上爲何偏偏有這個缺陷？這眞是一個令人不解的可恨謎團。

他回到家，爬上屋前台階時，她正一臉憂鬱坐在搖椅上，目光直接穿過他準備出售的原野。她的眼眶又紅又腫，腿上卻沒見挨打的痕跡。他坐在她身旁的搖椅，本來想裝出嚴厲的口吻，一開口卻破了功，彷彿極力想挽回情人般心力交瘁。

他說：「你爲什麼離開了？」

「因爲我想離開。」她說，眼睛定定望向前方。

他說：「你從來沒離開過我，是他逼你的。」

「我已經預告你我會走，所以我就走了。」她沒有看他，只是用徐緩同情的聲音說：「你先走吧，讓我靜一靜。」她的嗓音帶有不容拒絕的聲調，他們之前就算吵架，她也不曾出現這種堅決。瑪莉的眼神跨過那片空地，除了遍地叢生的粉色、黃色、紫色雜草，那裡空無一物。接著她的目光越過紅色道路，瞅著樹梢點綴起蔥綠蓊鬱的黑色松樹林木線，林木線後是另一條由遙遠森林構成的長窄灰藍色林木線，那後面就僅剩一片空白的天空，只有一、兩塊乏味雲朵。她深深凝望這片景致，彷彿比起他，那是一個她更喜歡的人。

他問：「這是我的土地吧？我賣我的土地，你爲什麼這麼不高興？」

她說：「因爲你賣的是草坪。」鼻涕眼淚撲簌簌湧出，但她仍倔強地繃著臉，淚水一滑到嘴邊她立刻舔掉，說：「我們再也看不見大馬路對面的風景了。」

老先生的視線穿越大馬路，再度確認那裡眞的空無一物。「我從來沒見過你這副模樣，」他的聲音充滿不可置信：「那裡除了森林，什麼都沒有啊。」

她說：「我們再也看不見森林，而且你賣的是那塊草坪，我爹地平常都在那裡放小牛吃草。」

聞言，老先生起身，說：「你現在這副德性像是皮茲家的人，而不是幸運家的人。」他從未對她說過這麼殘忍的話語，話才出口他就後悔了，這句話對他的傷害遠遠超過對她的傷害。他轉身進屋，回到自己房間。

下午他數度從床上起來，眺望窗外的「草坪」後方，她所謂未來再也看不見的森林林木線。但他每回看見的都不是山巒，不是瀑布，不是人工種植的樹叢或花卉，而是千篇一律的森林。午後時分，日光交織篩漏過林木，每棵佇立的纖細松木樹幹都顯得赤裸。他自言自語，不過是松木樹幹，想要看的話隨便到這一帶走動都是舉目可見。每一回他起身眺望窗外，都更加篤定自己賣掉這塊地是明智的選擇。這件事將對皮茲造成長期傷害，然而他可以買東西給瑪莉．幸運，彌補她的損失。對成年人來說，一條道路不是通往天堂，就是地獄；但對孩子來說，這條路上永遠都有停靠站，用果醬鬆糕就可以轉移他們的注意力。

他第三次起身眺望森林時，已近傍晚六點，樹幹後方隱沒落下的太陽湧出紅光，削瘦樹幹矗立於一片血紅日光之中。老先生凝視一會兒，彷佛在那漫長的一刻，他被前進未來的隆隆聲響迎頭趕上，懸在他從未領悟而令人渾身不自在的謎團上空。他在幻覺中看見一個畫面，彷彿森林後方有人受傷，而樹木浸浴在鮮血血泊中。幾分鐘後，皮茲的小貨車出現，在他的窗戶下方戛然而止，中斷這不舒服的畫面。他回到床上，合上雙眼，緊閉的眼皮上仍映著幽暗森林裡，那猶如煉獄景象般矗立的猩紅樹幹。

晚餐桌上，包括瑪莉．幸運在內，無人對他說一句話。他迅速吃完飯回到臥室，整個晚上都安慰自己，未來住家附近有一間像是提爾曼的商店有多好，他們不用大老遠跑去加油，需要麵包時只需要踏出前門，走進提爾曼的後門就好。他們可以把牛奶賣給提爾曼，他是個討人喜歡的傢伙，日後提爾曼會擴大生意。大馬路很快就會鋪好，全國各地的遊客都會停靠在提爾曼的商店前，要是他女兒自以爲比提爾曼強，這是挫挫她銳氣的大好機會。所有人都是生而自由與平等，這句話在他腦中迴盪，他的愛國情操戰勝一切，而出售這塊土地是他的義務，他必須保障美國的未來。他眺望窗外，凝視大馬路對面的森林上空，那散發燦爛光輝的月亮，聆聽蟋蟀和樹蛙的低鳴，在牠們的聒噪喧嘩底下，他聽得見未來幸運鎮的脈搏跳動的聲音。

他上床睡覺，深信明早起床時自己會恢復原狀，睜開眼就會猶如照鏡子般，看見她那張纖細頭髮框出的紅通通小臉。她會忘卻他賣地的事，吃過早餐後，兩人開車進城，他會先到法院拿幾份法律文件，回程停留在提爾曼商店完成交易。

清晨他一睜開眼，只看見空蕩蕩的天花板。他爬起身，左顧右盼臥室，但她卻不在房裡。他整個人掛在床沿，低頭望向床底，她也不在那裡。他起身換好衣服，走出臥房，發現她跟昨天一樣，坐在前廊的搖椅上，視線穿越草坪，凝望著森林。老先生忍不住惱火。自從她開始學爬，他每天早上起床後都會在床上或床底下看見她，顯然今早她想看的是森林，不是他。他決定暫時不理會她的行爲舉止，等她不嘔氣再提這件事。他往她身旁的搖椅坐下來，她卻只盯著森林。他說：「我在想，今天我倆可以進城，去新開的船店看船。」

她頭轉也沒轉，懷疑地拉高嗓門，問：「除此之外你還打算做什麼？」

他說：「就這樣，沒了。」

沉默片刻後，她說：「如果只有這樣，我就去。」但她卻連看他一眼都懶。

他說：「那好，快去穿鞋，我不會跟一個赤腳女子進城的。」她對他的笑話充耳不聞。

這天天氣跟她的脾氣一樣冷淡，看不出天空是否會下雨。那是一種令人不快的灰濛，太陽懶得露臉。進城的路上，她坐著低頭凝視伸直的雙腳，腳上包裹了一雙沉重的棕色校鞋。之前老先生時常玩突襲，從後方出現嚇她一跳，發現她總會獨自對著腳說話，心想她現在也正默默對腳說話。她的嘴唇不時抽動，卻沒有對他說一句話，而他說的話也被她當作空氣，彷彿根本沒聽見。他心想，看來他勢必得花一大筆錢才能讓她心情好轉，最好的做法就是買艘船，因爲他自己也想要一艘船。自從他們家後面出現那座湖，她就不斷提到船。他們先走進賣船的商店，一進店裡，他就愉快地對店員喊道：「幫我們介紹給窮人開的快艇！」

店員回道：「我們的船全是給窮人開的！等你買下船就是窮人了！」身穿黃衣藍褲的矮胖年輕人反應機智靈敏。他們像隔空交火般，你來我往講了幾句幽默話。幸運先生轉頭查看瑪莉的臉是否爲之一亮，卻只見她佇立在那，空洞眼神盯著對面牆壁展示的舷外機小艇。

「小妹妹對船不感興趣嗎？」店員問。

她轉身慢悠悠晃出商店，走到人行道，最後回到車上。老先生一臉錯愕盯著她，他不敢相信這麼有智慧的孩子，居然會因爲他賣一塊地變成這副德性。他說：「她肯定是不太舒服。我們晚點再回來。」然後跟著回到車上。

「我們去買冰淇淋甜筒吧。」他提議，擔憂地注視她。

她說：「我不想要冰淇淋甜筒。」

他眞正的目的地是法院，但又不想表現得太明顯。「我去處理一些正事時，你想不想去十分商店逛逛？我給你二十五分硬幣，你可以買喜歡的東西。」

她說：「我不想去十分商店，也不想要你的二十五分錢。」

要是連船都無法引起她的興致，他實在不該用二十分錢討好她，這想法太蠢。他好意問她：

「你怎麼了？哪裡不舒服嗎？」

她轉過頭，直視他的臉，以憤怒的口氣徐徐擠出：「草坪，我爹地在那片草坪餵小牛吃草，今後我們再也看不見森林了。」

老先生已盡量壓抑住內心怒火，但這下真的忍無可忍，狂吼出來：「他毆打你！你還擔心他以後會在哪裡餵小牛吃草！」

她說：「這輩子沒人打過我，要是有人打我，我就殺了他。」

一個七十九歲的男人怎能任一個九歲小孩擺布？他的表情跟她一樣堅決，問：「我現在讓你自己決定：你究竟是幸運家的人？還是皮茲家的人？」

她的大嗓門篤定而挑釁：「我是──瑪莉──幸運──皮茲。」

他大喊：「是嗎！我是純正的幸運！」

她無言以對，想法卻完全寫在臉上。在那一刻他完全擊潰她，老先生瞭然而不安地發現，那正是皮茲家的表情。他在她臉上看見皮茲家的表情，純正的皮茲，他感覺自己像是沾到什麼髒東西，彷彿他發現這個髒東西就黏在他臉上。他一臉嫌惡地倒車調頭，直駛法院。

矗立於乾涸草地中央的法院，是一棟陽光照耀、紅白相間的建築，他把車停在法院門口，口氣專橫地對她說：「留在車裡。」下車後甩上車門。

他利用半個鐘頭辦好正事，擬好售地合約。幸運先生回到車上時，瑪莉．幸運正坐在後座，一臉冷傲孤僻，臉上的表情像在預示某種不祥。這時天空變暗，空氣裡流動著遲緩熱浪，就像龍捲風來襲前的感受。

「我們最好趁暴風雨降臨前快走，」他強調地說：「回家路上我還得去一個地方。」但她沉默不語，他載的很可能只是一具小小的遺體。

*

前往提爾曼商店的路上，他左思右想他當下的行動，都自認相當合理，也不認爲自己哪裡有錯。她的態度可能只是暫時的，他卻已經對她失望透頂，於是他下定決心，她恢復心情後得向他道歉，他也不打算買船給她了。他漸漸明白，之所以搞不定她，是因爲他對她不夠狠心，他實在對她太好。老先生太專注思考，沒留意召告提爾曼商店只剩幾哩的廣告招牌，直到最後一面招牌歡樂地跳出他眼前：「歡迎光臨提爾曼商店！」這才在車棚下停好車。

他沒再多看瑪莉．幸運一眼，直接步入幽暗的商店。在三層罐頭的貨品架前方，提爾曼已經斜倚在櫃檯邊，等待他大駕光臨。

提爾曼是個惜字如金卻行動力十足的人，他在櫃台上習慣性交叉雙臂，手臂上方一顆小小的腦袋瓜搖晃著。他有一張三角形臉孔、尖下巴，頭頂滿是雀斑。他的綠色眼睛狹長，總是微張的嘴露出舌頭。他已經備好支票簿，兩人二話不說，立刻坐下談正事。提爾曼沒花太長時間就讀完契約，簽好賣契，接著輪到幸運先生簽字，兩人隨後越過櫃檯握手。

幸運先生和提爾曼握手成交的那瞬間鬆了口氣，他心想木已成舟，這下無論是跟她或自己都沒什麼好爭了。他自認按原則行動，未來發展也獲得保障。

他們才一鬆手，他就看見提爾曼的臉色驟變，並且一溜煙躲進櫃檯底下，彷彿有雙手從底下拖住他的腳。一只瓶子朝他本來站立的位置飛了過來，不偏不倚砸中後方的罐裝商品。老先生回過身，瑪莉．幸運滿臉漲紅、眼神狂野地站在門口，手裡高舉另一只瓶子，正準備砸過來。老先生閃開這一發攻勢，瓶子砸中櫃檯後方碎裂，緊接著她又從條板箱裡抓起另一只瓶子。他連忙朝她一躍而上，但她已跳向商店另一側，尖著嗓子嘰哩咕嚕說著聽不懂的話，抓到什麼就砸什麼。老先生再次撲上前，這次逮到她的裙尾，將她拉出商店。接下來他用力捉住她，一把舉起她，他氣喘如牛，嘴裡發著牢騷，手臂卻頓時癱軟，車子只距離他們幾呎。他總算成功打開車門，把她扔進去，自己再衝到另一側爬上車，盡他所能儘速開車離開。

他的心臟彷彿變得跟汽車一般龐大，瘋狂疾駛而去，被這輩子前所未有的高速牽引著前進，帶領他奔向別無選擇的目的地。足足五分鐘之久，他的腦袋一片空白，像是任體內的憤怒推動著往前衝。等到他的思考能力漸漸回來了，他發現瑪莉．幸運在汽車座位角落縮成一團，抽著鼻子喘氣。

他這一生從沒看過小孩這麼囂張。無論是他親生的孩子還是別人的小孩，都不曾在他面前發過這麼大脾氣，他怎樣都料不到一個他親自拉拔的孩子，九年來每天在她身旁的孩子，居然會讓他如此丟臉。而他根本不曾打過她！

下一秒他恍然大悟，像是某種遲來的領悟——這一切全是他的錯。她尊敬皮茲，是因爲卽使毫無來由，他還是會打她。要是老先生現在明明有充分理由，卻不趁機教訓她，未來她要是變成壞人，除了自己外他誰也怪不了。他心知肚明這一刻終於降臨，他不能繼續對她心軟。他下了高速公路，來到回家途中必經的泥土路，說服自己等到教訓結束，她就連一只瓶子都不敢再扔擲。

他在泥土路上火速奔馳到他的土地界線，最後轉入一條只夠讓一部汽車通行的小路，在森林裡顚簸了半哩後，停在他曾見證皮茲用皮帶鞭打她的位置。到了這裡道路突然開闊，可供兩部汽車通行或讓一部車子調頭。高瘦松樹環繞這塊難看光禿的紅色土地，彷彿松樹群聚是爲了見證卽將發生在這塊林地的事，有幾顆岩石突出泥土。

「下車。」他跨過她，幫她打開車門。

她沒有看他，也沒問他們爲何來這裡，只是乖乖下車。他走下車，繞到車前。

「現在我要揍你一頓！」他說，聲音格外響亮空洞，響徹雲霄，一路傳到松樹頂端。他不希望教訓她的時候被傾盆大雨淋得一身濕，說：「還不快走到樹前。」順勢扯下皮帶。

她的反應極其緩慢，似乎這時才漸漸理解他要做什麼，彷彿這項訊息要先穿越她腦海中的濃霧才能到達。她動也不動，原本困惑不解的表情頓時豁然開朗。幾秒前她的臉漲紅扭曲，五官全皺成一團，如今模糊的臉部線條消失無蹤，她臉上的神情只剩下超越堅定的果決，帶著絕不退讓的堅持，說：「沒人打過我，要是有人打我，我就殺了他。」

「你少跟我頂嘴。」他走向她，膝蓋不穩到他以爲就要往前或往後摔倒。

她穩穩往後退一步，定定凝視他，然後摘下眼鏡，放在他要她站好的樹木周遭一顆小石頭上，說：「摘下你的眼鏡。」

「你少對我下指令！」他抬高音量，彆扭地用皮帶抽她腳踝。

她迅雷不及掩耳地跳上他，他來不及反應第一拳是從哪而來，可能是她全身的重量、狂踢的雙腳，抑或接二連三落在他胸膛的拳頭。他的皮帶在空中胡亂揮動，已不知該往哪裡抽，只能想方設法甩她下來，然後找辦法捉住她。

「放手！」他大吼：「我叫你放手！」但她從四面八方撲來，讓他無處可躲，彷彿攻擊他的不是只有一個孩子，而是成群結隊的小惡魔，每個都穿著紮實的棕色校鞋，揮舞著石頭般僵硬的小拳頭。他的眼鏡落到一邊。

「我叫你摘掉眼鏡的！」她大聲咆哮，毫無停手的意思。

他扣緊膝蓋，一腳彈跳，好幾記拳頭連番落在他的腹部。他感覺到五爪陷入上臂肉裡，她懸空掛在他胳臂上，兩腳機械式地猛踹他的膝蓋，一隻手掄起拳頭，不停兇狠捶向他的胸口。他驚恐望著她的臉從他眼前冒出，她齜牙咧嘴，猛咬他的下巴，他發出一聲公牛般的怒吼，彷彿看見自己的臉從不同角度而來，瘋狂啃咬他，但他顧不得她的牙齒，因爲她的腳正不分青紅皂白踹向他，一下踢中肚子，一下踢中胯下。忽然間他往地面一倒，像是被火焚燒的男人在翻滾。她立刻爬到他身上，兩人翻滾起來，她的腳仍不住踢著，現在還用兩顆拳頭全力揮打他的胸口。

他尖聲呼喊：「我是老人！別再打了！」但她仍未停下拳頭攻勢，朝他下顎揮出一拳。

他喘不過氣：「停！停！我是你外公！」

她停頓，臉正好在他上方。淺色眼珠望入另一雙同樣的淺色眼珠，她問：「你受夠了嗎？」

老先生抬眼，凝視他自己的臉孔，那表情帶有一種勝利的敵意，像在說：「你被我狠狠揍了一頓，」接著那張臉又一字一頓惡狠狠地說：「而我是純正的皮茲。」

在這停頓瞬間，她的手鬆懈，他趁機抓住她喉嚨，體內猛然升起一股力量，他翻過身將她壓制在地，凝視著這張明明跟他一模一樣、卻膽敢說自己是皮茲的臉孔。他的手緊緊圈住她脖子，捉起她的頭，用力敲向底下的石頭，再猛力敲了兩下。他望著這張臉，那對眼珠緩慢朝上一翻，一副懶得理他的神情，他說：「我完全沒有皮茲的血統。」

他繼續盯著他剛才戰勝的這張臉孔，察覺到儘管她的面容異常安靜，卻不帶絲毫悔意。如今眼珠翻了回來，凝止不動的視線望向他，卻並未眞正看他。「我想你應該可以從中學到教訓。」他的聲音帶著一絲不確定。

他舉步維艱地用遭到攻擊的雙腳搖晃站起，走了兩步路，然而他在車上腫起的心臟仍未縮回原狀。這時他轉過頭，許久凝望後方那毫無動靜、頭靠在石頭上的小小人形。

下一刻老先生往後仰倒，無助的視線從光禿樹幹一路飄到松樹樹梢，他的心臟再次劇烈痙攣，迅速擴張，速度快到老先生感覺心臟似乎將他拖拽過森林，他正和難看松樹一同全力衝刺，前進湖面。他發現那兒有個小開口，可以離開森林的解脫出口。他在大老遠就看見這個出口，蒼白天空映照在水面上。他朝那個方向奔去時，小開口越擴越大，直到整座湖驟然出現在他眼前，蕩漾著小小漣漪，莊嚴雄偉地漂至他腳下。他遽然想起他並不會游泳，也還沒買船。這時他看見兩側高瘦枯槁的樹木化爲濃烈神祕的黑影，跨過湖面消逝於遠方。他左顧右盼想搬救兵，卻空無一人，身旁只有一個跟他一樣凝止不動的龐大黃色怪物，狼吞虎嚥著泥土。

上升的一切必將匯合

醫生告訴朱利安的母親，爲了血壓著想她得甩掉二十磅，因此每逢週三夜晚，朱利安得陪她搭公車到市中心的Y機構上減重課。減重課的對象是專爲年過五十、體重介於一百六十五至兩百磅的職業婦女，他的母親在裡頭算是輕量級，但她老說年齡和體重都是女人的祕密。由於現在公車已撤除種族隔離規定，所以她堅持不在夜晚單獨搭公車，更因爲減重課是她生活僅有的樂趣，對健康又很重要——重點是免費，所以她對朱利安說，想一想她爲他所做的犧牲奉獻，要求他帶她去上課應該不爲過吧。朱利安不想去思考她的犧牲奉獻，但每週三夜晚他還是會咬緊牙關，帶她去上課。

她馬上就著裝完畢，可以出發，站在走廊的全身鏡前戴帽子。朱利安的手無奈地擺在身後，像是被釘在門框上，等待弓箭刺穿心臟的聖賽巴斯蒂安[1]。她花了她七塊半買這頂新帽子，嘴裡不斷嘟囔：「也許我不該買這頂帽子。真的不該買，我還是脫下來，明天拿去退還吧。真是不該買的。」

朱利安朝天花板翻了個白眼，說：「該買，你應該買的。快戴上帽子出門吧。」帽子的模樣很可笑，紫色天鵝絨帽邊垂墜於一側，又在另一側挺立，帽子其他部分是綠色的，模樣很像填料滿出來的坐墊。他覺得要說這頂帽子長得可笑，倒不如說看起來沾沾自喜又可悲。讓她心滿意足的東西都很微不足道，這讓他很喪氣。

她又抬起帽子，慢動作放回頭頂。兩撮猶如翅膀的灰色頭髮岔出她濃妝豔抹的臉龐兩側，但她湛藍的眼睛卻跟她十歲時一模一樣，不受世俗汙染的純眞。若她不是撫養他長大、讓他受教育、「照顧他直到他可以獨當一面」的寡婦，她的模樣其實很像是他負責帶去市中心的小女孩。

他說：「好了，好了，我們出發吧。」他打開門，逕自走出家門，要她自己跟上。天空是一片枯槁死灰的紫色，陰鬱矗立的房子映襯在背景裡，儘管每一棟房屋皆獨一無二，卻清一色都是醜陋龐大的豬肝色圓形物體。四十年前這個住宅區算得上時髦，她母親堅信他們買得起，於是在這裡買下一棟公寓。每棟房屋四周圍繞著一圈細窄泥地，而上頭通常會端坐一個髒兮兮的孩子。

---

1 聖賽巴斯蒂安（Saint Sebastian, 256-288），基督教殉道聖人。據傳於羅馬皇帝戴克里先迫害基督徒時期被殺，多被描繪爲雙臂綑綁在樹樁上，遭亂箭射傷的形象。

朱利安走路時雙手插著口袋，頭部朝前低垂，眼睛呆滯無神，爲了讓她開心，他決定麻痺自我。

一聽到家門關上，他旋即轉過頭，望著那戴了頂醜帽子的矮胖人影朝他走來。她說：「哎呀，人只能活一次，花一點錢也不爲過，至少我不會和別人撞衫。」

「我遲早會開始賺錢的。」朱利安陰沉地說，但他知道他永遠不會——「只要你開心，就能拿這個笑話出來說嘴。」不過他們會先搬家，他想要搬去一個鄰居間至少距離三哩遠的住宅區。

「我覺得你可以的，」她邊穿上手套，邊說：「你才畢業一年，羅馬也不是一天造成的。」

她是少數戴帽子手套來上課、而且兒子有上過大學的Y減重課學員，她說：「這種事急不得，更別說現在天下大亂。沒人比我適合這頂帽子，說實話，她剛拿這頂帽子給我時，我就抗議了：『這頂不要，我才不戴這種帽子。』可是她堅持：『你試了再說吧，』帽子一戴上，她就驚呼：『哎喲喂呀，要是你問我，我會說你和這頂帽子相得益彰，再說啊，』她說：『有了這頂帽子，你就不用怕跟人撞衫了。』」

朱利安心想，要是她是個自私、酗酒、兇巴巴的老太婆，他還比較好命。他沉浸在沮喪的情緒，默默走著，彷彿已不抱持希望，黯然接受悲慘命運。她看見他絕望煩躁的苦惱臉色後，陡然停下腳步，愁容滿面地拉住他的手說：「你等我一下，我回家脫下帽子，明天拿去退還。我眞是瘋了，七塊五毛可以拿來加油啊。」

他猛力逮住她的手臂：「你不用拿去退回，我很喜歡這頂帽子。」

「是嗎？」她說：「可是我不應該……」

「別廢話，好好享受就是了。」他咕噥道，心情變得更加沮喪。

她說：「現在天下大亂，我們還能享受眞的是奇蹟。我跟你說，整個世界都反了。」

朱利安嘆氣。

她說：「當然囉，如果你知道自己的身分地位，去哪裡都不是問題。」他每次帶母親去減重課時，她總會重提這個話題。「大多數的人都非我族類，但我可以親切對待每個人，因爲我知道自己的身分地位。」

朱利安粗暴地說：「他們哪管你親不親切，對過去某年代的人來說，淸楚自己的身分地位是好事，問題是你對現代社會和自己的身分一無所知。」

她停下腳步，掃了他一眼，說：「我當然知道自己的身分地位，要是你對自己一無所知，我眞的以你爲恥。」

朱利安說：「噢，救命。」

她說：「你的曾曾祖父曾是本州州長，你祖父是富有地主，你祖母是萬神家的人。」

他緊繃地說：「你可不可以環顧四周，看看你現在人在哪裡？」他憤然抽出手，指向住宅區。

現在天色逐漸暗下，住宅區看起來不至於那麼髒骯。

她說：「你想怎麼說就怎麼說。你曾曾祖父可是有一大塊農園，還有兩百名奴隸。」

他不耐煩地說：「現在已經沒有奴隸了。」

她說：「他們當奴隸時日子還好過一點。」他哀嚎一聲，心想她又要開始這個話題了。她就像在寬闊鐵軌上行駛的列車，沒幾天就駛過一次。朱利安對沿途經過的每一站、每一個道岔、每一片沼澤都瞭若指掌，也再清楚不過她的結論會在哪個時機點精準莊嚴地進站：「眞的荒謬極了，太不切實際了。他們是應該反抗沒錯，但要造反就挑在自己的地盤吧。」

「別再說了。」朱利安說。

她說：「最可憐的就是一半白人血統的黑人，他們太慘了。」

「你說夠了嗎？」

「想想假如我們是黑白混血，會有多百感交集哪。」

他咕噥：「我現在就百感交集。」

她說：「好吧，我們聊點開心的事。我記得小時候去阿公家，阿公家有直通二樓的雙螺旋樓梯，因爲二樓是廚房，所以我以前很喜歡留在廚房的台階，牆壁香氣四溢的。我會坐在樓梯上，鼻子緊緊貼著灰泥牆深呼吸，事實上那是萬神家的房子，但房貸是你阿公切斯提尼付的，他幫他們守住這棟房子。當時他們的經濟情況不大好，不過無論如何，他們從沒忘了自己的身分。」

「也怪不得那間破舊宅邸讓他們想起自己的身分。」朱利安咕噥。每次講到這棟房子時他都忍不住顯露輕蔑，或是不由得念舊起來。小時候的他曾在這棟宅邸出售前看過一次，當時雙螺旋樓梯已經腐爛拆除，住客是黑人，但停留在他腦海的樣貌正如母親所述，房子也經常出現在他夢裡。夢裡的他站在寬闊前廊，聆聽橡木樹葉的窸窣聲響，悠閒穿越挑高天花板大廳，來到在眼前豁然開朗的客廳。他凝視著磨損地毯和褪色布幔，恍然大悟眞正喜歡這棟房子的不是她，而是他。對他而言，沒什麼比得上它的頹圮優雅，正因如此，這輩子他們曾待過的住宅區對他而言都形同折磨，她則區分不出差異。對於自己的遲鈍無感，她自稱是「適應能力強」。

「我還記得我的老黑人保母凱洛琳。世上沒有比她好的人了，我一直都很尊敬我的黑人朋友，」她說：「爲了他們，我什麼都願意做，而他們……」

朱利安說：「看在老天的份上，你可以不要一再重提這個話題嗎？」他自己搭公車時，都會故意選坐在黑人身邊，算是爲母親贖罪。

她說：「你今晚很敏感，你還好嗎？」

他說：「我很好，別再講了。」

她噘嘴，默默觀察他：「好吧，看來你心情不好，那我不就跟你說話了。」

他們總算走到公車站，四下不見公車，朱利安的手插在口袋裡，繃著一張臉，拉長脖子望向空蕩蕩的街頭。等公車加上搭公車的焦慮猶如滾燙的手爬上他頸子，他母親沉痛嘆了口氣，故意讓他察覺到她的存在。他陰鬱地望向她，她戴著那頂荒謬的帽子，背部直挺挺立在那兒，帽子猶如一面象徵她個人尊嚴的旗幟。他內心陡然冒出打擊她士氣的邪念，於是鬆開他的領帶，扯下後收進口袋。

她渾身僵直，說：「你爲何要這副模樣帶我去市中心？爲何故意讓我難堪？」

他說：「如果你永遠無法認清自己的身分，至少可以認清我的吧。」

她說：「你這樣子很像——流氓。」

他嘀咕：「那我就是流氓了。」

她說：「我乾脆回家算了。要是連這點小事你都不願意爲我做，我就不煩你了……」

他翻了個白眼，繫回領帶，低聲喃喃：「回到我的等級。」他的臉逼近她，嘶聲道：「眞正的教養來自思想，一個人的思想，」他指著腦袋：「**思想**。」

她說：「是心靈，以及待人接物，因爲待人接物會反映出你的身分。」

「公車上的人才不在乎你的身分。」

她語氣冰冷地說：「可是我在乎。」

燈火通明的公車出現在前方山坡頂端，逐漸靠近時他們走上街道，準備上車。他的手挽著她的手肘，將她整個人撐上軋軋作響的階梯。她帶著一絲微笑上車，彷彿走進一間久候她大駕的會客室。他投代幣時，她在面向走道的寬闊三人座位坐下來，同一排座椅盡頭坐著一個暴牙金長髮的削瘦女人。朱利安的母親朝她挪過去，將她旁邊的座位留給朱利安。他坐下後盯著走道對面的地板，有雙穿了紅白色帆布涼鞋的細腿杵在那。

他母親立刻為聊天起個頭，看誰有心情加入閒聊行列。「這天氣未免也太熱了，可不是？」她說，從手提包掏出一把印有日本風景畫的黑色折扇，對著自己搧了起來。

「我想你說的沒錯，」暴牙女子說：「我只知道我的公寓很熱。」

她母親說：「肯定是日落光線太強烈。」她屁股往前一挪，打量公車內部，公車有一半滿席，乘客全是白人。她說：「看來這部公車上都是自己人。」朱利安感到難為情。

「難得啊，」走道對面的女人，也就是紅白帆布涼鞋的主人開口了：「有次我上車時，發現他們像跳蚤一樣密密麻麻，前後方滿滿都是。」

朱利安的母親說：「真是天下大亂了。我都不知道我們是怎麼讓自己陷入這種苦境的。」

「我最氣不過的是好人家的兒子居然偷汽車輪胎，」暴牙女子說：「我對我兒子說，就算我們家不有錢，你也要行得端正，要是被我逮到你闖禍，你就準備進少年感化院，適得其所。」

朱利安母親說：「教育很重要。你兒子還在唸高中嗎？」

女人說：「國三。」

「我兒子去年剛從大學畢業，未來想當作家，目前是打字機銷售員。」他母親說。

女人欠身，目光匆匆掃向朱利安，他投以惡狠狠的眼神，她嚇得縮回座位。走道地板上有一份報紙，他起身拾起，攤開報紙遮臉。他母親小聲謹慎地繼續交談，但走道對面的女人刻意拉高音量說：「哎呀，很好呀。賣打字機很接近當作家，完全就是他的跳板。」

他母親說：「我對他說，羅馬不是一天造成的。」

朱利安在報紙後方開始神遊，這是他最常做的一件事，算是他個人打造的心靈泡泡，只要他受不了周遭的人事物，就會縮進這個泡泡裡。在泡泡裡，他可以當個公正評判的旁觀者，可以安然無恙躲在裡面，外頭的人卻無法刺穿泡泡。這是他唯一可以擺脫白癡同伴的方法，他母親從未進入過泡泡，他卻能從泡泡裡一眼看清她。

其實這老太太腦袋夠聰明，他心想，要是她的出身環境良好，或許大有可爲。她的生存之道是她想像出的世界法則，他從未看過她踏出這個世界一步。而她的法則就是先惹出問題，再說她是爲了栽培他而犧牲小我。她終其一生努力奮鬥，像一個沒有切斯特尼家族財富的切斯特尼後代，並且想方設法給予他她認爲切斯特尼家的人應該享有的一切。不過她說奮鬥也很有意思，所以何必抱怨？等到贏了再回顧自己經歷的困頓苦難，不是很有意思嗎？講得好像她已經贏了。他無法原諒她說她享受奮鬥，還自以爲是贏家。

她之所以說她是贏家，是因爲她成功拉拔他長大，送他上大學，讓他長大後成爲一個翩翩君子，相貌堂堂（爲了他一口漂亮白牙，自己缺牙都不補）、聰明有爲（他心知肚明他聰明到無法成功）、前程似錦（他當然沒有前途）。她向對方道歉，兒子脾氣乖戾是因爲尚未眞正長大，缺乏人生歷練才會想法偏激。她說他對人生懵懵懂懂，還沒踏入眞正的社會，但他其實早就跟五十知天命的男人一樣，已不再對人生抱持幻想。

最諷刺的是，儘管他是她兒子，他還是長得很好。儘管他就讀的是三流大學，他還是靠自己獲得一流教育；儘管控制支配他的人思想狹隘，他還是能夠擁有自由思想；儘管她的處世觀愚昧，他還是不抱偏見，不懼怕面對現實。她對兒子的愛蒙蔽了她的雙眼，但他沒有因母子之情盲目，反而能理智地與她切割，用客觀的態度看待她。他並沒有任由母親宰割，這就是最大的奇蹟。

公車猝然一個急煞車，將他從冥想中拉回現實。從後座起身的女人不由得踉蹌一兩步，調整步伐時差點沒撞上他的報紙。她下車後，一個身形高大的黑人上車。朱利安放低報紙偷看，心滿意足地觀看不公不義天天上演，這更證實了他的觀點，那就是方圓三百哩內幾乎沒有值得他認識的人。這名黑人衣裝端正，提著一個公事包，他環視車內，然後選坐在紅白色帆布涼鞋女人的那排座椅，一坐下就立刻折起報紙，埋頭讀報。這時朱利安的母親戳了戳他肋骨，低聲道：「你瞧，這就是我不願意自己搭公車的原因。」

黑人一坐下，穿著紅白色帆布涼鞋的女子旋即起身，走到公車後座，往剛才下車那女人的位置坐下。他母親向前彎腰，對她投以一個肯定眼神。

朱利安起身跨過走道，往帆布涼鞋女人的位置坐下。從這個角度，他冷靜望著坐在對面的母親，她的臉漲成豬肝紅色，他則用陌生人般的眼神盯著她，彷彿正式向她宣戰般，他感覺到一股緊張氣氛升起。

他想要和這名黑人聊天，和他討論藝術、政治、任何他們身邊的人無法理解的話題，但這男人繼續埋首讀報，不是對突然換位置的他視而不見，就是當真沒注意。朱利安找不到機會展現他對黑人的支持。

他母親用責備眼神瞅著他的臉，暴牙女子熱切地關注狀況，彷彿他是她這輩子沒見過的怪物。

他問黑人：「方便借個火嗎？」

男人頭也不抬，直接從口袋掏出一盒火柴遞給他。

「謝謝，」朱利安說，但那個當下握著火柴的他簡直像個笨蛋。正對他的車門上方張貼了一張警告標語：「請勿吸菸。」照理說這個告示根本阻止不了他抽菸，重點是他根本沒菸。由於沒有閒錢，他幾個月前已經戒菸。「不好意思。」他聲音含糊地將火柴遞回去，黑人放下報紙，不耐煩地瞪他一眼，接過火柴後又高高舉起報紙。

他的母親繼續盯著他，卻毫無心思嘲笑他方才的丟人現眼。她的眼神仍帶有原本的疲倦，臉龐紅得不自然，彷彿血壓上升。朱利安的臉上完全沒有閃現一絲同情，既然他現在握有優勢，他想好好利用，貫徹到底。他想給她一個永生難忘的教訓，但目前他遭遇瓶頸，黑人不肯從報紙探出頭。

朱利安環抱雙臂，不帶感情地注視前方，雖然正對著她，卻一副沒看見她的模樣，彷彿她根本不存在。他想像公車到站時，她問他：「你不下車嗎？」他則留在座位上，彷彿有陌生人莫名其妙對他說話般回視她。他們下車的角落往往空無一人，但由於光線充足，讓她自己走四條街到Y機構倒無傷大雅。他決定靜待良機，再決定是否讓她自行下車。他十點時會來接她回家，但他不介意讓她暗自思忖他是否會出現，她沒理由認定凡事都可以依賴他。

他的想像又退回至那挑高天花板、零散擺放幾件龐大骨董傢俱的房間。他的靈魂在那瞬間擴大，卻陡然察覺母親正在對面，於是視野縮小回來。他冷冷地研究她，她穿著小小跟鞋的腳很像小孩，搆不到地面。她正用譴責的眼光注視他，他感覺自己完全與她脫離，在那一瞬間，他大可猶如盡情掌摑壞孩子般，滿心愉悅地賞她耳光。

他開始想像五花八門教訓她的方法。他可以和傑出黑人教授或律師交朋友，然後邀請他到家中作客。儘管他沒做錯事，但她的血壓肯定會狂飆至三百。可是他不能過火到害她氣得中風，更別說他從沒交過眞正的黑人朋友。他曾試著在公車上認識職業正當的黑人，例如教授、牧師、律師等身分的人。有天早上，他坐在一個相貌堂堂的黑人旁邊，對方的回話宏亮莊嚴，事後朱利安才得知他從事殯葬業。還有一天，他坐在一個抽雪茄的黑人旁邊，對方手指套著鑽石戒指，兩人不自然地你來我往了幾句打趣的話之後，黑人按下車鈴，起身跨過他離開時，偸偸把兩張彩劵塞進朱利安手心。

接著他想像母親病重，他專門幫她找黑人醫師。好幾分鐘他都對這個想法感到玩味，一會兒又幻想他參與靜坐抗議的畫面，雖然是可行的，但他並未再多做他想，反而換了一個最終極的恐怖做法。或許他可以帶一個外表豔麗卻可能擁有黑人血統的女子回家，然後對母親說，你自個兒調適心理吧，反正你也拿我沒輒，她就是我準備娶回家的女人，聰明伶俐、高貴端莊、心地善良，她吃過苦，卻不會說吃苦有意思。你爲難我們啊，阻止我們啊，儘管把她趕出家門吧，但請記得，你同時也會趕走我。他瞇起雙眼，心情憤慨地看著對面臉色鐵青的母親，整個人縮成跟她的道德一樣微小的侏儒尺寸，戴著那頂猶如旗幟的可笑帽子，坐得像是一尊木乃伊。

公車戛然而止，他再度跳出想像世界。車門唰一聲打開，黑暗之中有個打扮亮麗、臉色鬱悶的黑人女子帶著一個小男孩上車。小男孩年約四歲，身穿一件短袖格紋西裝，頭戴一頂別有藍羽毛的蒂羅爾帽。朱利安希望小男孩坐在他旁邊，黑人女子則坐到他母親旁邊的位置。他想不到比這更好的座位安排了。

等待公車代幣時，女人環視車內空位——朱利安希望她坐到最討厭黑人的人身旁。這女人很眼熟，但朱利安說不上哪裡讓他覺得眼熟。她是個龐然大物，難搞表情像在說她不只準備好迎戰，也不害怕主動挑起戰爭。她肥大嘟起的下唇一撇，猶如寫著「生人勿近」的警告標誌。她的腫脹身軀包裹在綠色連身裙裡，雙腳溢出紅鞋，頭上戴著一頂難看的帽子，紫色天鵝絨帽蓋垂至一側，並在另一側豎起，帽子其餘部位是蔥綠色的，像極一個內餡外溢的坐墊。她拎著一只女用手提包，碩大鼓起的模樣彷彿塞滿石頭。

他失望地發現小男孩爬上朱利安母親旁邊的空位。對於小孩，他母親一概而論，不管是黑人白人，小孩都屬於同一類組：「可愛」。她甚至覺得小黑人比小白人可愛。小男孩爬上座位時，她對他露出微笑。

黑人女子往朱利安身旁的空位坐下來，他心煩地看著她落座。然而，當這女人在朱利安身邊調整坐姿時，他看見母親臉色驟變，他心滿意足地發現，對於這女人的行徑，母親的反感更勝朱利安。她的臉差點沒暗下來，眼底像認清現實般一片死灰，彷彿面對某種可怕對峙，讓她剎那間渾身不暢快。朱利安察覺，就某程度來說，這就好比她和這女人互換了兒子。雖然他母親不明白其中的象徵意義，卻能感覺到威脅。趣味盎然的神情在朱利安臉上一覽無遺。

他旁邊的黑人女子自言自語，說了些他聽不太懂的話，他很清楚隔壁坐的是個刺蝟，猶如一隻慍怒的貓咪，發出無聲抱怨。除了她綠色大腿上直立的鼓脹女用手提包，他什麼也看不見。他的腦中勾勒起女人先前等待代幣的模樣——笨重的身形、豎立在肥大臀部下的紅鞋、大胸脯、不友善的表情，然後是那頂綠紫色的帽子。

他瞠大了雙眼。

兩頂一模一樣的帽子就像黎明曙光般，發出萬丈光芒，照耀在他身上。他的臉瞬間喜悅地發亮，他不敢相信命運居然會爲他母親準備這樣一個教訓。他故意發出一聲清晰可聞的竊笑聲，讓母親注意他看到的東西。她的眼睛徐徐轉向他，湛藍眼珠似乎轉爲鐵青色，在那一瞬間，他不自在地發覺她的無知，然而不過短短一秒，道德就來解救他了。正義允許他放聲大笑，他猖狂的笑臉像是直接對她說：這下你的小心眼總算獲得報應了，看你以後忘不忘得了這個教訓。

她似乎無法承受繼續盯著兒子的難受，眼睛飄向女人，彷彿盯著這黑人女子反而比較自在。

他再度感受到身旁蠢蠢欲動的刺蝟，女人猶如一座正待爆發的火山，他母親的嘴巴撇向一角，他內心一沉，發現母親的表情逐漸恢復信心，似乎突然覺得好笑，而不是把這當作一個教訓。她的眼睛繼續盯著這女人，笑意爬上臉龐，彷彿這女人只是一個偷了她帽子的猴子。小黑人抬起頭，用碩大好奇的眼睛望著她，他一直努力吸引她的注意力。

「凱瓦！」女人忽地喊道：「過來！」

凱瓦發現聚光燈總算凝聚在他身上時，抬起雙腳轉向朱利安的母親，朝她咯咯傻笑。

「凱瓦！」女人說：「聽見沒？快過來！」

凱瓦滑下椅子，卻是蹲了下來，背部繼續貼靠在椅座底下，他狡猾地轉頭望向朱利安的母親，而她也對他投以微笑。女人跨過走道，伸手將孩子拉過去，小男孩調整好姿勢，朝後靠在母親膝蓋上，不停衝著朱利安的母親傻笑。

「你說他是不是很可愛？」朱利安的母親對暴牙女人說。

「我想是吧。」女人不置可否地說。

女黑人將兒子拉回擺正，他卻溜出她手心，衝往走道對面，不可抑制地傻笑，爬上他最喜歡的人旁邊的座位。

「我想他應該很喜歡我。」朱利安的母親說，面對女黑人微笑。這是她對下等人一貫的仁慈笑容，朱利安知道一切已失去意義，這場教訓猶如滾落屋頂的雨水，毫無用武之地。

女人起身，將小男孩從朱利安母親隔壁拽過來，彷彿將他從傳染病身邊拉走一樣。朱利安感覺她沒有可以媲美他母親笑容的武器而惱怒不已，她大力拍向小男孩的腿，小男孩立刻嚎啕大哭，接著將頭埋進她肚子，用力踢她小腿。她暴戾地說：「你給我乖一點！」

公車停下，讀報黑人起身下車，女人屁股挪了過去，把小男孩撲通壓在她和朱利安中間，並且按住他膝蓋。這時小男孩雙手摀住臉，透過手指縫隙偷看朱利安的母親。

「我看見你囉！」她把手擺在臉前，假裝也在偷看他。

女人拍打他的手，說：「別耍白癡，不然揍你哦！」

謝天謝地，下一站就可以下車了。朱利安伸手拉扯下車鈴，女人也在同時拉鈴。噢，我的天，他心想。有個可怕預感湧上心頭，他猜測在同一站下車後，他母親會打開皮包，給小男孩一個五分錢硬幣，對她而言這舉動跟呼吸一樣天經地義。公車停駛，女人站起來拽住小男孩往前衝，小男孩不情願地跟在她背後。朱利安和他母親也站起來，走在他們後面。等到他們接近車門時，朱利安努力打消她想從皮包裡拿出錢幣的舉動。

「不，」她低聲道：「我想給這個小男孩一個五分錢硬幣。」

「別這樣！」朱利安說：「你別給他錢！」

她低頭對小男孩微笑，打開錢包。公車門哐啷打開，女人一手撈起小男孩下車，他懸空於她臀部上方。到街上後她放下孩子，拉著他往前走。

朱利安的母親在下車時關上皮包，不過腳一踏地，又旋即打開皮包找零錢。她低聲說：「我只有一分錢，但這枚看起來很新。」

朱利安從齒縫間嘶聲咆哮：「你不要給他錢！」角落有一盞街燈，她迅速走到街燈底下，在女用手提包裡仔細搜尋。女人拖著心不甘情不願的小男孩，快步上街離去。

「噢，小朋友！」朱利安的母親呼喊，快步上前，在街燈下趕上他們。「我要給你一枚一分錢硬幣！」她遞出零錢，昏暗燈光下，錢幣發出古銅色澤。

龐然大物般的女人轉過身，那一刻她杵在那裡，拱起肩膀，凝重表情憤怒而挫敗，緊盯朱利安的母親，然後像是壓力不小心調高一盎司的機器般瞬間爆發。朱利安眼睜睜看著一顆抓著紅色女用手提包的黑色拳頭揮過來，女人咆哮：「他才不收任何人的一分錢！」他閉上眼，渾身一縮，等到他再睜開眼，女人已消失在街頭，肩上扛著眼睛圓瞪的小男孩。朱利安的母親跌坐於人行道上。

「我就跟你說不要給他錢！」朱利安生氣地說：「我是不是叫你不要給他錢！」

他咬牙切齒佇立在她頭頂半刻，只見她雙腿伸直，帽子掉落在大腿上。他蹲下來注視她面無表情的臉，說：「這全是你自找的。起來。」

他撿起她的女用手提包，將散落物品一一丟進去，同時拾起她腿上的帽子。他看見掉在人行道上的一分錢，於是撿起它，在她面前慢動作讓錢幣掉進皮包裡。接著他起立彎身，伸手想拉她一把，可是她動也不動。他嘆了口氣，兩側都是高聳漆黑的公寓建物，不規則的方形光線照射在建物上。有個男人在街尾走出門，朝反方向而去。朱利安說：「好吧，這下要是有人經過，大概會好奇你爲何坐在人行道上吧。」

她牽住他的手，沉重地喘息，拉著他的手站起來。站身後，她左搖右晃了一會兒，彷彿黑暗中的光點繞著她旋轉。她的雙眼蒙上一層陰影，充滿困惑不解，最後視線才停在他臉上。他絲毫不想隱藏他的惱怒，說：「我希望這次你學到了教訓。」她身子往前一傾，搜索他的臉，像是想弄清楚他是誰，下一刻又像不認識他一般，甩頭就往反方向而去。

他問：「你不去Y機構了嗎？」

她喃喃道：「我要回家。」

「好吧，我們用走的回家嗎？」

她繼續走，算是回答。朱利安雙手擺在身後跟上去。他見機不可失，趁勝追擊，對她說明這個教訓的意義。很可能需要有人向她解釋，才能理解方才發生的事。他說：「別以爲剛剛那只是個趾高氣昂的女黑人，現在已經沒有黑人會收你自以爲是的一分錢了。剛才那個，是你的黑人分身，她戴著跟你一模一樣的帽子，而且坦白說，」因爲覺得好笑，他多餘地補充一句：「她戴起來比你好看。所以意思是舊世界已經滅亡，陳舊習俗也過時了，沒人理會你的仁慈。」他艱澀難堪地想起那棟已不復在的房子：「你的身分並不符合你的想像。」

她繼續埋頭前進，對他視而不見。她的頭髮散落一邊，女用手提包掉了也沒發現，他停下來撿起手提包，遞還給她，她卻沒伸手取回。

他說：「你用不著一副世界末日的樣子，又不是眞的世界末日。從現在起，請你好好活在新世界，面對現實。振作起來，你死不了的。」

她突然呼吸急促。

他說：「我們等公車來吧。」

她聲音重濁地說：「我要回家。」

他說：「你的行爲眞的很像小孩，看了就煩，眞的讓我很失望。」他決定不再走，讓她跟著停下腳步，一起等公車。他停下來，說：「我不走了，我們搭公車回家。」

她彷彿沒聽見他說話般繼續往前走。於是他往前走幾步拉住她手臂，讓她停下來。他望著她的臉，屏住呼吸，母親臉上是他從未見過的表情。她說：「叫阿公來接我。」

他震驚而不敢置信。

她說：「叫凱洛琳來接我回家。」

他錯愕地鬆開拉住她的手，她往前踉蹌，彷彿其中一條腿較短，一跛一跛前進。一陣幽暗浪潮似乎將她從他的身邊捲走，他喊道：「媽媽！親愛的媽媽，你等等！」她腳步不穩地倒在人行道上，他俯衝上去，跌坐在她身邊，淒厲喊道：「媽媽！媽媽！」他轉過她，她的臉嚴重扭曲。一隻睜大眼睛凝望著，彷彿鬆脫般緩緩移向左側。另一隻眼則定定注視他，再度搜尋他的臉孔，但似乎沒找到什麼，於是合上眼睛。

朱利安呼喊：「你在這裡等著，你等我！」他兩腳一蹬，拔腿奔向遠方的一團光線求援，大喊著：「救命！救命啊！」但他的聲音猶如絲線般稀薄，他跑得越快，那道光就飄得越遠。他的雙腳麻木走著，卻彷彿無法帶他走到任何地方。幽暗浪潮將他捲回她身邊，在瞬逝分秒裡拖延他，不踏入罪惡感與哀傷的世界。

審判日

透納盡可能爲歸途預留體力，他希望能走多遠就走多遠，其他就交給全能的上帝。這天與前天的早晨，他讓女兒幫他更衣，多保留一些體力。現在他正坐在窗前椅子上，藍襯衫一路扣到領口，外套披在椅背上，頭上戴著帽子，等候女兒出門。除非她出門，否則他無法逃跑。這扇窗正對著一面磚牆，小巷裡飄散著適合野貓和垃圾的紐約空氣。幾片雪花在窗外飄落，但纖薄到他的老花眼睛看不清楚。

女兒正在廚房洗碗，她動作慢吞吞的，不時自言自語，他剛來的時候還會回答她，但她其實不需要別人回答。她怒目瞪著他的眼神像在說這個老笨蛋，怎會不知道千萬別打擾自言自語的女人？她裝出一種聲音發問，又裝出另一種聲音回答。昨天他利用女兒幫他更衣省下的力氣，寫好一張字條，並用大頭針別在口袋裡：要是我死了，請將遺體運送至喬治亞州柯林斯的柯爾曼・帕魯姆。底下又加註一句話：柯爾曼，請賣掉我的個人物品，並用這筆錢支付遺體運費和葬儀社費用，若有剩餘的錢請你收下。真誠的 T.C. 透納敬上。P.S. 請別聽他們的話大老遠趕來，這地方不值得你來。他花了十五分鐘以上才在紙上寫好這幾句話，字跡潦草，但用點耐心還是讀得懂。他一隻手控制寫字的那隻手，剛寫好她也買完菜回到公寓。

今天他已經準備妥當，他唯一要做的就是左右腳交替前進，走到家門口，下樓。到達樓梯底層後他就可以走出社區，招一部計程車，前往貨運場。總有人會扶他上車，等到上了運貨車廂，他就能躺下休息了。夜間列車會開往南方，隔天或是後天上午，無論還有沒有氣息，他都能回到家。無論還有沒有氣息——眞正的重點是能回到家，還有沒有氣息不重要。

要是他夠明智，就會在抵達這裡的隔日回家，要是他能再更明智一點，就會知道當初根本不該來。他是直到兩天前的早餐後，聽見女兒和女婿離別前的交談才急著想走。他們站在前門，她正送他出門，女婿的工作是駕駛長途傢俱搬運車，這趟一去就是三天。當時她肯定是在把他的皮帽遞給他，對他說：「你眞該買頂帽子，一頂像樣的帽子。」

女婿說：「然後整天戴著帽子坐著不動，跟裡面那傢伙一樣。沒錯！他整天只知道戴著那頂帽子坐在那，整天戴著那頂愚蠢黑帽！他人在屋裡耶！」

她說：「拜託，你連頂像樣的帽子都沒有，只有那頂皮革遮耳帽。有身分地位的人都會戴帽子，其他人則戴你這種皮帽。」

「有身分地位的人！」他嘶吼：「有身分地位的人！笑死我！眞的笑死我了！」女婿滿臉橫

肉，操著北方人口音。

「我爸會留在這裡，」他女兒說：「他來日不多了。過去他曾有身分地位，這輩子他都是自己的老闆，不會為任何人工作，都是別人替他賣命。」

「那又怎樣？幫他工作的都是黑鬼！」女婿說：「有什麼了不起？也有一、兩個黑人幫我工作過。」

她說：「那幾個幫你工作的只是北方黑人，」她突然壓低音量，因此透納得彎腰才能聽個仔細：「想要眞正的黑人幫你做事，要有點腦袋，你必須曉得怎麼應付他們。」

女婿說：「是哦，所以你是說我沒有腦袋。」

那一瞬間，女兒的行為舉止難得讓透納感受到一股暖流，她偶爾也會說出讓你覺得她的智慧深藏不露的話語。

她說：「你是有腦袋，只是不愛動腦。」

女婿說：「他在這棟公寓光是看到一個黑人，都差點中風了，她還告訴我……」

「你小聲點，」她說：「這不是他中風的原因。」

緊接著一陣沉默。「你打算在哪裡埋葬他？」女婿換了話題。

「埋葬誰？」

「裡面那老傢伙。」

她說：「紐約啊，不然你以爲呢？我們本來就有一塊地，而且要是沒人陪我，我不可能自己下南部的。」

他說：「很好，我只是想確認一下。」

她一回到房裡，透納便雙手緊握住椅子扶把，眼睛狠狠瞪向她，像一具死不瞑目的遺體。「你明明答應我會帶我回老家埋葬的。」他說：「你的承諾全是屁。你的承諾全是屁。你的承諾全是屁。」他的聲音粗啞到幾乎聽不見，他渾身顫抖：「把我葬在這裡，你就等著下地獄！」他嘶喊著倒回椅子。

女兒全身發抖，總算又找回注意力：「你人又還沒死！」她的鼻子粗重地嘆出一口氣：「你還有很多時間可以窮操心。」隨即轉過身，拾起散落一地的報紙。她的灰髮及肩，圓臉逐漸露出疲乏倦怠，喃喃：「我爲了你的生活起居做盡一切，你卻用這種方式回饋我！」她把報紙塞在腋下，說：「少跟我提地獄，我不信這一套，全是教會的胡說八道。」語畢走進廚房。

他的嘴唇抿成一條線，上排假牙用力頂在舌頭和上顎中間，眼淚仍不爭氣地滾落臉頰。他偷偷用肩膀抹去每一滴淚。

她的聲音從廚房傳來：「簡直跟養小孩一樣麻煩。明明是自己說要來的，人都來了，卻在那裡抱怨不開心。」

他根本不想來。

「假裝自己不想來，但我看得出來你是想來的。我也說了要是你不想來，我不會勉強你。如果你不想活得人模人樣，我也愛莫能助。」

她又切換成高嗓音，嚷嚷：「換作是我，臨終前才不會挑三揀四，隨便找個地點，就近安葬我就行。我就算死了也會爲還活著的人著想，不會什麼都只爲自己。」

「當然不會，」她裝出另一個聲音說：「你從來就不是自私的人，你向來都很懂得照顧別人。」

「啊，我盡力了，」她說：「我盡力。」

他的頭稍微靠在椅背上，帽子低垂蓋住眼睛。除了這個女兒，他還有三個兒子。三個兒子皆已不在人世，兩個死於戰場，第三個與魔鬼爲伍，除了這個在紐約市當大人物太太的頂客族女兒，沒人有撫養他的責任義務。她回到老家發現他的現況後，就做好帶他離開的心理準備。她把臉貼在棚屋門前，面無表情地往屋裡窺視，一秒後她發出尖叫，往後一跳。

「地板上那是什麼？」

他說：「柯爾曼。」

這老黑人蜷起身子，在透納床腳邊的貨板上呼呼大睡，一身臭皮囊幾乎瘦到不成人形。柯爾曼年輕時很像一隻熊，現在年紀大了反倒像是瘦皮猴；透納恰好相反，年輕時是瘦皮猴，老了就變成熊。

女兒往門廊退了一大步，雨淋板[1]上斜放著兩張藤椅，但她不願就坐。她退到房子十呎外，彷彿要這麼遠的距離才能淨空臭氣，然後開門見山地說了：

「你想把臉都丟光我管不著，但我可還要面子，我知道我的職責所在，我從小就是接受這種教育長大的。就算你沒教，母親也教過我，雖然她只是普通人，但她不會想和黑人同住。」

那一刻，黑人被吵醒，鑽出門外，透納正好看見他彎著腰的影子溜出來。

她讓他顏面盡失。他的嗓門大到兩人都聽得一清二楚：「你以爲是誰煮飯的？你以爲是誰砍木柴？誰幫我把屎把尿？他一直陪在我身邊，這個小混混跟著我三十年了！他絕對不是沒用的黑人！」

她不爲所動，問：「這究竟是誰的棚屋？你的還是他的？」

他說：「是我們兩個一起蓋的。你放棄吧，給我一百萬或一袋鹽，我都不會跟你走的。」

「看起來確實像你們一起蓋的。這塊地是誰的？」

「某個住在佛羅里達州的人。」他閃爍其詞，其實他早就知道這塊地正準備出售，但總覺得應該沒人想買如此荒蕪的土地。然而當天下午他卻有了新發現，消息來得正好，他剛好來得及跟她離開，要是晚一天發現，他可能就侵佔了這位醫師的土地。

*

當天下午他看見那個海豚般的褐色人形從原野對面走來，不用誰來告訴他，他馬上就懂了。要是除了一小塊車轍遍野的土地，那黑人擁有全世界，而現在他又買下這塊地，他就大可像現在這樣大搖大擺，壓倒野草橫著走來。他有著粗厚腫脹的頸子，大肚腩則是他的金錶和鏈條的王座。弗利醫師不是百分之百的黑人，他也有印第安和白人血統。

對黑人來說，有事找他就對了。他是藥商、葬儀社送行者、諮商師、房地產經紀人，偶爾幫助他們脫困，偶爾則讓他們遭殃。他邊望著弗利走來，邊提醒自己：雖然他是黑人，但還是得做好準備，他可能從你手裡奪走什麼。做好準備，因爲你除了這一身臭皮囊，就沒有對付他的利器，而這身皮囊跟蛇脫下的皮一樣沒用。政府要與你作對，你也束手無策。

1雨淋板（clapboard, lap siding），建築外牆的一種裝修形式，在同一平面上，將木板或金屬板由下往上重疊鋪設，藉此外型達成防止雨水滲入屋內的效果。

他坐在門廊上一張斜放於棚屋牆面的直背椅，「晚安，弗利。」他說。醫師走上前，陡然停在林地邊緣時，透納向他頷首，彷佛上一秒才發現他走來，但其實土地開闊，他早就看見醫師跨過原野而來。

醫師說：「我來看看我的地。」他的聲音高頻急促：「晚安。」

之前還不是你的地，他在心裡默想，接著說：「我有看見你走來。」

「最近我剛買下這塊地，」醫師說，沒有再望向他便逕自繞到棚屋另一側查看。一會兒後他又走回來，站在透納面前，然後大膽走到棚屋門前，窺視屋內。當時柯爾曼正在裡面呼呼大睡。他觀察半晌後退至一旁說：「我認識那個黑人。柯爾曼．帕魯姆——你覺得你們非法釀造的私酒會讓他昏睡多久？」

透納的手捏住椅子底座的圓頭，用力握緊，說：「這間棚屋不屬於你的地，是我不小心蓋在這裡而已。」

醫師暫時取出啣在嘴裡的雪茄：「這可不是我的錯。」他露出微笑。

透納只是坐在那兒，眺望前方。

醫師說：「我可不是爲了這種錯誤出錢的。」

他低聲道：「我可沒看見你付了什麼錢。」

黑人說：「凡事都需要錢的，前提是你知道怎麼賺。」他繼續停留在原地，露出笑容，上下打量這名佔地爲王的人，接著轉過身繞到棚屋另外一邊。空氣凝止不動，他正在找尋釀酒場。

現在是殺了他的大好時機。棚屋裡有一把槍，他可以輕而易舉幹掉他，但他從小就被灌輸地獄的概念，由於害怕下地獄，他才變得不夠強悍。他從沒殺過人，待人處世向來靠的是機智和運氣。大家都知道他對黑人很有一套，與黑人應對是一門藝術，讓對方服從的竅門，就是讓對方知道，要比鬥智他們是絕對是鬥不過你的，這樣他們這輩子就跟著你準沒錯，他們會乖乖跳上你的背。柯爾曼就在他背上待了三十年。

透納第一次見到柯爾曼時，正在某間鋸木廠監管六個黑人，那間鋸木廠位在一片松葉林中央，距離這個鳥不生蛋的地帶有十五哩遠。這六個黑人就跟其他曾爲透納工作的黑人一樣懶散，週一不會來上班，但仍受到當時風氣感染，以爲某位新就任的林肯總統準備廢除黑奴工作制度。他憑藉一把鋒利小刀監督他們，當時他的腎臟出問題，雙手不停顫抖，於是他用刨木遮掩這個不由自主的多餘動作。他不想讓他們看見他顫抖的手，自己也不想看見，更不準備接受這個事實。他抖動雙手握住的刀子不斷激烈來回，偶然幾個粗糙小木塊不愼掉落地面，後來就再也沒看過它們，就算看了他也說不出這些木塊是什麼。黑人會拾起木塊帶回家，他們剛從黑暗非洲抵達不久。刀子不斷在他手裡閃耀光芒，他不只一次唐突地停止動作，隨口對撇頭打混的黑人說：「黑鬼，這把刀現在在我手裡，但要是你繼續浪費我的錢和時間，下一秒這把刀就會插進你的腸肚裡。」這句話還沒說完，黑人就會慢慢起身，回到工作崗位。

一個體型龐大、自由行動的黑人開始在鋸木廠四周遊手好閒，體型是透納的兩倍。他只凝望其他人工作，不盯著他們的時候就像一隻大熊仰躺著，在眾人面前呼呼大睡。他問：「那人是誰？要是他想工作就叫他過來，不想工作就叫他走。閒雜人等不許在此徘徊。」

沒人知道他是誰。他們只知道他不想工作，此外一無所知，不曉得他打哪裡來，也不知道他爲何出現在這裡，雖然他很可能是其中一名工人的兄弟，甚至是現場所有黑人的表兄弟。整整一天透納都對他視而不見，憑他一個面色蠟黃、形如枯槁，手還不時抖動的白人，應付六個黑人已經夠折磨他了。他等候著麻煩降臨，卻不打算等一輩子。翌日，這個陌生人又來了。幫透納工作的六個黑人看這閒人悠晃半個上午後，也跟著懶散起來，正午前半個鐘頭已經吃起午餐，他不想冒險命令他們回去工作，最後直接去找麻煩的源頭。

這名陌生人半倚在林地邊緣一棵樹上，半瞇起眼盯著他們，臉上的傲慢遮掩不住疲態。那表情像在說，這白人有啥了不起，他幹嘛一副有多不得了的模樣，他想做什麼？

他本來想說：「黑鬼，這把刀現在在我手裡，但要是你不快給我滾……」但他一接近，遂立刻改變心意。這黑人眼小如豆，布滿血絲，透納暗忖他可能也有把刀，隨時可能拔刀刺向他。透納的雙手自以爲聰明地轉動小刀，他也不曉得自己究竟在雕刻什麼，但等到他靠近黑人時，已在一塊樹皮上鑽出兩個約半美元硬幣大小的孔洞。

黑人的視線落到透納的雙手上，他的下顎鬆懈，眼睛並未從努力不懈鑽著樹皮的刀子上移開，像是在見證樹皮上發生的一股無形力量。

透納自己也看了一眼，詫異地看到一副鏡架外框。

他將鏡框拿遠一點，視線透過孔洞、穿過刨花，最後落在森林畜欄邊緣畜養騾子的地點。

「孩子，你視力不太好吧？」他說，開始用腳刮擦地面，找出一條金屬絲，他撿起這條捆乾草用的鉛絲，又找到一條比較短的，拾起後將鉛絲繫上樹皮。這下他不慌不亂，因爲他已知道自己在做什麼。等到眼鏡組裝好，他遞給黑人，說：「戴上吧，我不喜歡有人看不清楚。」

誰知道那一刻黑人會做出什麼事。他可能會接過眼鏡，一手捏碎眼鏡，也可能拿起刀刺進透納身體裡。那個當下，他在這雙飲酒過量而浮腫的混濁眼睛裡，發現黑人想拿刀刺進白人肚腸的快感，最後與他內心某種無以名狀的東西達到平衡。

黑人接過眼鏡，將鏡腳掛到耳後，端詳眼前景物。他一臉莊嚴肅穆地東張西望，接著便衝著透納傻笑，那也可能是一張鬼臉，透納實在分不出是哪個。然而在那一瞬間，他看見自己影像的負片，彷彿他們倆是滑稽和束縛的命運共同體。他還來不及破解這個謎，畫面已經瓦解。

他說：「牧師，你來這裡做什麼？」他拾起另一塊樹皮，看也不看又繼續刻起來。「今天可不是週日。」

黑人說：「今天不是週日？」

他說：「今天是週五，你們牧師都這樣嗎——整週喝得醉醺醺，喝到忘記哪天是週日。你戴上眼鏡後看見了什麼？」

「看見一個男人。」

「什麼樣的男人？」

「做出這副眼鏡的男人。」

「他是白人還是黑人？」

「白人！」彷彿這時視力才突然好轉，黑人說：「是的，他白人！」

透納說：「嗯，那就當他是白人吧。你叫什麼名字？」

黑人說：「我柯爾曼。」

此後柯爾曼就一直跟在他身邊。你讓他們變成自己的猴子，他就會自動自發跳到你背上，永遠陪伴你；但要是你讓他們把你當猴子耍，你就只能選擇殺了對方或自己消失。他絕不要因爲殺了黑人下地獄。他聽見醫師在棚屋後踢翻一個水桶，依舊靜靜坐著，等他繞回來。

一會兒醫師又冒出來，從屋子另一側用手杖吃力揮打叢生的饍森草。他停在院子正中央，距離他女兒當早下最後通牒的地點不遠處。

他開口：「這裡不是你的地盤，我大可檢舉你。」

透納麻木地杵在原地，視線望穿原野。

醫師問：「你的釀酒場在哪？」

「就算這裡有釀酒場，也不是我的。」他緊閉雙唇。

黑人輕笑，低聲說：「你運氣不太好，是吧？你之前在河對岸是不是有一小塊土地，後來被徵收了？」

他繼續盯著眼前的森林。

醫師說：「要是你願意幫我經營釀酒場，沒問題。不願意的話恐怕得請你打包上路。」

他說：「我不必幫你工作。政府還不至於逼白人爲黑人工作。」

醫師的大拇指指腹摩擦起戒指寶石：「我也不怎麼喜歡政府。不然你能上哪去？進城在畢爾莫飯店找個房間落腳？」

透納不發一語。

醫師說：「白人任由黑人差遣的那天遲早會降臨的，你大可走在時代尖端。」

「這一天不會降臨。」透納不耐煩地說。

醫師說：「會降臨在你身上，但不會降臨在其他人身上。」

透納的視線穿越最遙遠的藍色林木線邊緣，望向蒼白空泛的午後天空。他說：「我女兒在北方，我不需要爲你賣命。」

醫師從錶袋掏出手錶，注視一會兒後又收進袋。他盯著自己的手背半晌，似乎正默默測量扭轉局勢的時機點。他說：「她才不想要你這種老頭。就算她嘴巴這麼說，也不是眞心的。卽使你很有錢，他們還是不想要收你。年輕人有自己的想法。黑人崛起當道，我就是其中一人，我還沒有結束。」他再次望向透納：「我下週會再回來，要是你還在這裡，我就知道你準備爲我工作。」他杵在那裡半刻，頂著腳跟前後晃動，像在等待回答。最後他轉過身，沿著雜草叢生的小徑，揮打野草離去。

*

透納的目光繼續眺望原野，彷彿靈魂全被吸進森林裡，坐在椅子上的只是一副空殼。要是他早知道會是這種情況，與其成天坐在這破爛地方凝望窗外，他會選擇幫黑人經營釀酒場，心甘情願當黑人的白鬼奴隸。他聽見後方傳來女兒走出廚房的聲響，他的心跳加速，一秒後聽見她撲通坐在沙發上。她還不打算出門，他沒有轉頭看她。

她默不出聲，坐了一會兒後，開口：「你最大的問題就是成天坐在那扇窗前，窗外明明沒東西。你需要接觸全新想法和發洩途徑。如果你讓我推你到電視機前，就不會老想著那些可怕想法，死亡、地獄、審判之類的……天啊。」

他喃喃道：「審判日終會降臨的。綿羊和山羊被分成不同群，信守承諾的人和不守信的人，他們終會分道揚鑣，珍惜自己擁有事物的人跟不珍惜的人、敬重父母的人和詛咒父母的人……」

她深深嘆一口氣，淹沒他說的話。她問：「我何必跟你白費唇舌？」語畢起身走回廚房，在廚房裡發出巨響。

她眞敢擺高姿態！雖然在老家時住的是棚屋，至少周圍還有新鮮空氣，他的腳能踩踏落地，但是在這裡，她住的根本不是房子，而是一棟公寓裡的鳥籠！來自各地的老外全操著捲舌口音，有理智的人才不會待在這種地方。第一天早晨她帶他觀光，他十五分鐘就知道這是什麼樣的地方，此後再也沒踏出公寓一步，也不想去地下鐵路，不想去搭踩上去就會移動的階梯或是帶你直達三十四樓的電梯。等他安全回到公寓，他想像起跟柯爾曼來到這裡的情況：例如每隔幾秒就得回頭確認柯爾曼還跟在他後面；走內側，不然路人會把你撞倒；走在我背後右側，別跟丟了。他會說：戴好你的帽子，呆瓜。柯爾曼會彎腰搖晃、小跑著趕上他，氣喘如牛，嘀咕道：我們來這裡做什麼？你哪裡蹦出的蠢主意，居然想來這鬼地方？

我是要讓你見識這鬼地方有多破敗不堪，現在你曉得自己住的地方不錯了吧。

柯爾曼說，我早就知道了，不知道的人是你。

剛抵達一週時，他收到一張柯爾曼寄來的明信片，由火車站的霍頓代筆，用綠色墨水寫道：「柯爾曼來信，老闆你好嗎？」霍頓在底下寫道：「你這混混，別再流連二流夜店，快點回家。真誠的Ｗ．Ｐ．霍頓。」他回信給柯爾曼，收件人是霍頓，明信片寫道：「如果正好合你胃口，你會覺得這裡不錯。真誠的Ｗ．Ｔ．透納。」由於明信片是交由女兒代寄，他沒有提到只要領到退休金，他就會立刻回去。他打算留下一張字條，不告而別。等到帳款下來，他就會招一部計程車前往公車總站回家，對他和女兒來說是皆大歡喜的結局。她覺得他陰鬱無趣，盡女兒應盡的職責令她心生厭倦。要是他偷溜回家，她會欣然接受至少自己努力過，最後是因爲他不懂知恩圖報才離開。

至於他呢，他會回去繼續侵佔醫師的土地，聽命於一個嚼著十分錢雪茄的黑人，並暗忖這樣其實沒有一開始想的那麼慘。但現在他反而被黑人演員害到半死不活，或至少他自稱是演員。他才不相信那個黑人是演員。

這棟建築每層樓各有兩戶人家，隔壁鳥籠的住戶搬走時，他已經入住女兒家三週。他站在走廊，看著他們搬走，次日又看見另一戶人家搬進來。走道狹窄幽暗，他站在不擋路礙事的角落，不時向新住戶主動提出建議。要是他們願意稍微看他一眼，也許搬家就省力許多。由於他們搬運的傢俱全新而廉價，他心想新住戶八成是新婚夫妻，等他們上樓，他打算親自祝福他們一番。不多久，一個體型龐大、身穿淺藍西裝的黑人手裡提著兩只帆布行李袋，吃力地上樓，重量壓得他頭部低垂，他身後跟著一個深膚色、留著亮麗紅銅色頭髮的年輕女人，黑人砰地一聲將行李袋擱在另一間公寓門前。

女人說：「親愛的，輕一點。我的化妝品在裡面呢。」

透納這時才恍然大悟。

黑人咧齒而笑，用力拍了下她一邊臀部。

她說：「別鬧了，有個老傢伙在看。」

他們兩人都轉過頭望向他。

「哈——嚕。」他說，點頭致意，接著迅速閃進門內。

他女兒正在廚房。他滿臉光彩，問：「你覺得隔壁的新房客是什麼樣的人？」

她一臉狐疑望著他，含糊問道：「是什麼人？」

「黑人！」他欣喜地說：「要是我沒看錯，應該是南阿拉巴馬州的黑人。他娶了一個豪奢闊氣、留著紅髮的混血黑妞。他們倆就是你未來的鄰居！」他拍了下膝蓋，喊道：「太棒了！若不是的話太可惜了！」這是他來北方後第一次開懷大笑。

她立刻板起臉，說：「好了，你聽我說。你最好別去招惹他們。不要去和他們打交道，這裡的黑人不一樣，我不想惹上黑人的麻煩，聽到了嗎？要是你想繼續住在他們隔壁，就管好自己的事，他們也不會干涉我們的生活，這就是這個世界的生存法則。顧好自己的事，大家相安無事，過好自己的生活，別去管別人的閒事。」她漸漸像隻兔子般皺起鼻子，這是他女兒標準的蠢臉。「這裡的人都只管自己的事，這就是大家相安無事相處的模式，你也應該這麼做。」

他說：「在你出生前，我和黑人也處得很好，相安無事。」他回到走廊守株待兔，他敢打賭，那個黑人肯定想和真正懂他的人聊天。等待時，他兩度興奮到忘了自己住在公寓，直接往護壁板吐了一口抽菸後的黃色唾液。二十分鐘後，公寓門再度敞開，黑人走了出來。他繫了領帶，戴了一副牛角框眼鏡，透納頭一遭發現他蓄著小到幾乎看不見的山羊鬍，模樣挺時髦的。他好像沒注意到走廊上還有其他人般逕自走著。

透納點頭，對他說：「嘿喲，老兄。」黑人彷彿沒聽見他打招呼般經過他身邊，嘎吱嘎吱地踩著樓梯，快步離開。

大概是耳聾或啞巴吧，透納心想。他走回公寓坐著，只要聽見走廊發出聲響，他就會馬上起立走到門邊，探頭看是不是那個黑人。有次下午黑人繞著樓梯轉彎上樓時，他和黑人四目相交，但他還來不及開口，黑人已經甩門進公寓。除非遇到警察在背後追逐，他還沒看過走路這麼快的人。

隔日上午一早，他站在走廊上，女人踩著漆上金色的高跟鞋獨自步出公寓，他想向她道聲早，或甚至只是點點頭打個招呼也好，但直覺告訴他最好謹慎提防。她長得不像純正的黑女人，也不像白女人，他從未見過這種女人，於是他戰戰兢兢貼著牆，假裝自己是透明人。

女人表情木然瞥了他一眼，旋即轉過頭，經過他身邊時刻意保持一大段距離，好像繞過一個沒有蓋子的垃圾桶。他屏著氣息，直到她消失在視線範圍，然後耐心等候黑人出門。

黑人約八點鐘步出家門。

這一次透納直截了當地走上前，說：「早安，牧師。」過往經驗告訴他，要是遇到繃著臉的黑人，「牧師」這個稱呼通常會讓對方一掃陰霾。

黑人霎時止步。

透納說：「我看見你才剛搬來，我也搬來沒多久。要是你問我，我會說這地方沒什麼特別，我敢說你寧可回到南阿拉巴馬州吧。」

黑人沒有往前踏步，也沒有應答。他的視線開始一路往下移，從透納的黑帽頂端移到他整齊扣在頸部位置的無領藍上衣，接著又沿著褪色吊褲帶，移至灰長褲和高筒鞋，然後徐徐往上，深不可測的冰冷憤怒似乎讓他渾身僵硬縮小。

「我想你可能知道哪裡有池塘，牧師。」透納的聲音越來越脆弱，卻仍抱持希望。

黑人發出某種強壓怒火的聲音，開口：「我不是南阿拉巴馬人，」聲音急促喘鳴，「我來自紐約市，我也不是牧師！我是演員。」

透納不禁得意地笑了：「每個牧師心裡都有個演員，是吧？」他對黑人眨眨眼：「我猜你偶爾也傳道吧。」

「我不傳道！」黑人大喊，彷彿忽然有一窩蜜蜂追逐他，黑人從透納身邊呼嘯而過，衝下樓梯，不見人影。

透納杵在那半晌，最後回到公寓。接下來這天他都坐在椅子上苦思，究竟該不該再嘗試和這黑人打交道。每當他聽到樓梯間發出聲響，都會到門邊偷看。但這天黑人到傍晚才回來，他走到樓梯頂端時，透納已站在走廊等他。他說：「晚安，牧師。」忘了這黑人自稱是演員。

黑人停下腳步，緊捉住手扶欄杆，從頭到腳都不住輕顫，然後慢慢走上前。接近透納時，他向前一撲，用力捉住透納的肩膀，低聲說：「我才不理你這戴羊毛帽的無知鄉下人，白人混蛋老頭的狗屁！」他屏住呼吸，怒火中燒的聲音近似笑聲，是刺耳卻微弱的高音：「而且我不是牧師！我根本不是基督徒！我才不信這些狗屁，世界上根本沒有耶穌，也沒有上帝！」

老人感覺到胸腔裡的心臟猶如橡木節疤般堅硬。黑人又說：「你不是黑人！我也不是白人！」

黑人將他推上牆，把他的黑帽往下一拉，蓋住透納的眼睛，接著提起他的衣領，猛然將透納推進敞開的公寓大門。他女兒從廚房看見他沒頭沒腦地撞上屋內的走道門邊，步履蹣跚跌進客廳。

*

好幾天以來，他的舌頭像結凍一般，等到融冰後，舌頭變得比正常時大了兩倍，說話含糊不清到女兒一個字也聽不懂。他想知道政府的支票是否已經寄到，他想要買張公車票回家。過了幾天，女兒總算聽懂他說的話，她回他：「是寄到了，但要用來支付前兩週的醫藥費，請你告訴我，你現在不能說話、不能走路，也不能正常思考，你是頭暈腦脹了嗎？請告訴我，你這個狀態要怎麼回家？拜託請你告訴我。」

這會兒他才明瞭自己的狀況，至少他得讓她了解，她非得送他回老家安葬。他們可以用冷藏車保存他的遺體，運送他回去。他不想要殯葬業者來這裡搞七捻三，她自己根本不用去，他們馬上送他離開，讓他搭一大早的火車，再發電報通知霍頓去找柯爾曼，柯爾曼會處理剩餘後事。經過幾番爭執，他總算成功逼她就範，她答應會將他運回老家。

那之後的夜裡，他總算睡得較為安穩，健康也略有好轉。在夢裡，他能透過松木箱子縫隙，感受到屬於家鄉的冷冽清晨空氣。他看見柯爾曼紅著眼眶在車站月台等候他，而戴著綠色遮光眼鏡、黑色羊駝袖套的霍頓也站在那裡。霍頓肯定心想，要是這老笨蛋留在屬於他的老家，就不用清晨六點零三分躺在箱子裡，被人運回來。柯爾曼將他特地借來的驢子和手推車調頭，好讓他們從月台上搬運箱子，裝上推車後的空位。一切就緒後，兩人不發一語，將棺木緩緩運上推車，透納開始在棺木裡刨刮木材，他們兩人彷彿棺材著火般鬆開手。

他們杵在那兒面面相覷，隨後望向箱子。

柯爾曼說：「是他，是他在裡面。」

霍頓說：「不可能，肯定是老鼠跑進去了。」

「是他，這是他玩的把戲。」

「如果只是老鼠，讓牠待在裡面沒關係。」

「眞的是他，快去找鐵橇。」

霍頓一邊發牢騷，一邊去找鐵橇。他帶著鐵橇回來撬棺蓋，棺蓋上緣還沒撬開，柯爾曼已經開始在一旁跳腳，興奮得氣喘如牛。透納從箱子裡伸出兩隻手，跳了出來，「審判日！審判日！」他嚷嚷：「你們兩個白癡！不知道今天是審判日嗎？」

現在他完全明白女兒的承諾價值千金，被大頭針別在外套裡的字條，以及在街上、貨車車廂或任何地點發現他遺體的陌生人都值得信任。除了期待她用他自己的方式解決事情外，他沒有任何期望。她又步出廚房，手裡提著她的帽子、外套、橡膠靴。

她說：「聽著，我現在要出門買東西。我不在家時你別站起來亂走，你已經去過廁所，不用再去。我回來時可不想看見你躺在地上。」

你回來時不會再看到我了，他對自己說。這是他最後一次看到她那張愚蠢木然的臉，他深感罪惡，她對他那麼好，他卻只給她添麻煩。

她問：「要我出門前幫你倒杯牛奶嗎？」

他說：「不用。」抽吸了一口氣，又說：「你住的地方很好，這座城市很棒，我很抱歉生病給你添了不少麻煩。試著和黑人鄰居交朋友是我不對。」而且我還是個該死的騙子，他自言自語，想要洗刷掉嘴巴說出這種話的難聞氣味。

在那一刻，她只是愣在那裡，好像發現他總算發瘋了，接下來她甩掉這個想法，說：「偶爾說說動聽的話心情不是會好一點嗎？」她問，接著往沙發一坐。

他已迫不及待想站起來。去啊，快出門啊，他暗自惱火。還不快走。

她說：「我眞的很高興你搬來跟我們一起住，我也不希望你待在其他地方，畢竟你是我老爸。」她對他露出燦爛笑容，抬起右腿套上鞋，說：「這種天氣，看見小狗在外蹓躂都不忍心了，但我還是得出門一趟。你可以坐在這裡爲我祈禱，別摔跤跌，別扭斷脖子。」她在地上踩了踩穿好鞋的腳，開始穿另一隻鞋。

他的目光轉向窗外，雪花開始在外面的玻璃窗上凝固結冰。他再次望向她時，她像整個人套進帽子和外套裡的大型洋娃娃。她戴上一對綠色針織手套，說：「好了，我要出門了。你確定什麼都不需要？」

他說：「我確定，你去吧。」

她說：「好吧，那再見了。」

他舉高帽子，露出爬著淡色斑點的光禿頭頂。她離開，走廊門關上，他開始興奮到全身顫抖。他撈起身後的外套擱在腿上，然後穿上外套，等到不再喘氣，他捉著椅子扶手，撐起全身重量。他的身體猶如一口沈甸甸的大鐘，鐘錘左搖右晃，卻未發出絲毫聲響。等到總算成功站起來，他停頓片刻，直到搖晃的身體平衡爲止。恐懼和挫敗的感受朝他撲襲而來。他不可能辦到的，無論有沒有氣息，他不可能回得到老家。他往前踏出一步，沒有跌倒，這時他重拾信心，喃喃道：「耶和華是我的牧者，我必不致缺乏。[2]」他開始移至沙發，只要走到那裡他就可以獲得支撐。他走到沙發了，歸途就在眼前。

等他走到門邊，她肯定已經下了四段樓梯，離開公寓。他經過沙發，手扶牆面緩緩前進。誰都別想在這裡安葬他，只要走到樓梯底部，他很篤定，老家的森林就在眼前。他走到公寓大門，打開門後目光掃向走廊。這是那演員推倒他後，他第一次瞥入走廊，空曠的廊道裡飄散著潮濕的氣味，爬滿黴菌的油氈布地毯一路鋪到另一個住戶緊閉的門前。他說：「黑人演員。」

他距離樓梯口約莫十、十二呎的距離，決定不要扶牆壁了，單憑一己之力，彎腰走過去。他將兩隻手臂稍微往外伸展，保持平衡，筆直走向樓梯口。走到一半，他的兩條腿消失了，抑或只是感覺兩腿突然消失？他困惑不解地低頭查看，腿還在啊。說時遲那時快，他整個人往前一撲，於是伸出雙手捉住欄杆柱子，最後整個人掛在那裡，往下盯著陡峭黯淡的階梯許久。他閉上眼，猛然往前一栽，最後頭下腳上地降落在樓梯中間。

他們從列車上搬下他時，他感覺得到箱子傾斜，接著又感受到箱子被運上行李推車的震動。他沒出聲，列車發出刺耳的軋軋聲響，逐漸駛離。沒多久，行李推車已在他底下隆隆移動起來，推著他來到火車站側邊，他聽見腳步聲越來越近，心想可能人來了，他想先按兵不動，直到他們

2出自《舊約．詩篇》23:1。

看見箱子爲止。

柯爾曼說：「是他，這是他玩的把戲。」

霍頓說：「只是老鼠跑進去了。」

「眞的是他，快去找鐵橇。」

三兩下後，青綠光束射向他，他排除萬難推開箱子，用氣若游絲的嗓音呼喊：「審判日！審判日！你們兩個白癡，不知道今天是審判日嗎？」

他低聲喃喃：「柯爾曼？」

有著乖戾大嘴和陰沉雙眼的黑人彎腰凝視他。

他說：「我也不是煤礦工[3]。」他們肯定是送錯車站了。透納心想，一定是某個蠢豬太早推我下車。這黑人是誰？現在的光線也不像白天。

黑人身旁有另一張臉孔，是一個膚色較淺、紅銅髮色耀眼的女子，她彷彿剛剛踩到一坨糞屎般扭過身體。

「噢，」透納說：「是你啊。」

演員逼近他，提起他的衣領，「審判日？」他的聲音充滿嘲諷：「今天不是審判日，老頭。認命吧，不過也許今天是你接受審判的日子。」

透納試圖捉住欄杆柱子撐起身體，卻手滑撲空。這兩張臉孔，一張黑臉，一張膚色較淺的臉，似乎在他面前模糊搖晃。他憑意志力集中視線，氣若游絲地舉起手，用輕鬆歡快的語氣說：「救救我，牧師。我正要回家啊！」

他女兒買菜回來發現了他。他的帽子蓋在臉上，頭手皆穿過欄杆柱子，兩腳從樓梯井垂下，很像上了腳鐐的男人。她發狂似地拉扯他，接著飛奔去報警。他們用鋸子鋸斷樓梯欄杆才成功解救他，並研判他已斷氣一個鐘頭左右。

她在紐約市安葬他後，夜夜輾轉難眠，臉上逐漸浮現深深皺紋。最後她將他掘出墳墓，把遺體運送至柯林斯，最後總算可以安然入睡，恢復原有容貌。

---

3 柯爾曼（Coleman）音近煤礦工（Coal man）。

國家圖書館出版品預行編目資料

芙蘭納莉・歐康納短篇小說選集 / 芙蘭納莉・歐康納 (Flannery O'Connor) 著 ; 張家綺譯 . -- 初版 . -- 臺中市 : 好讀 , 2020.08

面；　公分 . -- (典藏經典 ; 130)

譯自：Selected Short Stories of Flannery O' Connor

ISBN 978-986-178-524-0 (平裝)

874.57　　　109009440

好讀出版

典藏經典 130

芙蘭納莉・歐康納短篇小說選集

作　　者／芙蘭納莉・歐康納 Flannery O'Connor
譯　　者／張家綺
總 編 輯／鄧茵茵
文字編輯／林泳誼
行銷企畫／劉恩綺
發 行 所／好讀出版有限公司
　　407 台中市西屯區工業 30 路 1 號
　　407 台中市西屯區大有街 13 號（編輯部）
TEL: 04-23157795 FAX: 04-23144188 http://howdo.morningstar.com.tw
（如對本書編輯或內容有意見，請來電或上網告訴我們）
法律顧問／陳思成律師

總 經 銷／知己圖書股份有限公司
106 台北市大安區辛亥路一段 30 號 9 樓
TEL: 02-23672044 / 23672047 FAX: 02-23635741
407 台中市西屯區工業 30 路 1 號
TEL: 04-23595819 FAX: 04-23595493
E-mail: service@morningstar.com.tw
網路書店：http://www.morningstar.com.tw
讀者專線：04-23595819#230
郵政劃撥：15060393（戶名：知己圖書股份有限公司）

印　　刷／上好印刷股份有限公司
初　　版／西元 2020 年 8 月 15 日
定　　價／ 300 元
如有破損或裝訂錯誤，請寄回臺中市 407 工業區 30 路 1 號更換（好讀倉儲部收）

Published by How Do Publishing Co., Ltd.
2020 Printed in Taiwan

ISBN 978-986-178-524-0

填寫線上讀者回函
獲得更多好讀資訊